Martha M. Muller
Paris le 25.4.84

TERROIR

Matricule huit, Rieder 1933.

L'Idéologue Volney (Beyrouth 1951), Slatkine Reprints 1980.

Gérard de Nerval et les Filles du Feu, Nizet 1956.

L'Univers de Marcel Jouhandeau, Nizet 1959.

Un grand témoin de la Révolution : Volney, Hachette 1959.

Spectre de Gobineau, J.-J. Pauvert 1965.

Éditions de textes

Volney, *Voyage en Égypte et en Syrie*, Mouton 1959.

Volney, *la Loi naturelle et leçons d'histoire*, Garnier 1980.

André Breton, *Ode à Fourier*, Klincksieck 1961.

Gobineau, *Œuvres, Collection de la Pléiade*, Gallimard 1983-84.

JEAN GAULMIER

TERROIR

Présentation de Louis NUCERA

A la mémoire de mon père

À la mémoire de mon père

« JE n'ai pas votre nostalgie, mais je la comprends... Et votre livre est rudement bien. Depuis que je l'ai ouvert, ma chambre est pleine de l'odeur du " terroir ". Un peu le mien! Nous sommes voisins.» C'est ce qu'écrivait Romain Rolland, en l'automne 1931, à Jean Gaulmier. La lettre venait de Suisse. Elle était spontanée. Jean Gaulmier avait 26 ans. Il n'en revenait pas de l'attention que lui portait un prix Nobel de littérature alors qu'il n'avait même pas songé à lui adresser son ouvrage.

Déjà, Louis Guilloux, son premier lecteur aux éditions Rieder, avait manifesté sa ferveur pour «Terroir». «Voici un livre humain, sobre, sincère, tout à fait digne d'attention. C'est l'œuvre d'un homme doué, et maître de ses moyens. Ce qui fait l'unité de ce livre, composé de tableaux, c'est une même conception, très émouvante, de l'homme, et un sens profond et juste des choses de la terre. Aucune déclamation, là où il eût **été** si facile de se laisser entraîner à des discours, et un artiste moins authentique aurait sûrement commis cette faute. Au contraire, ici, l'auteur sait nous émouvoir, nous toucher, par des gestes sobres, justes. Je ne puis trop louer la pudeur qu'on trouve dans ses récits (...) » Pierre Benoit, Henri Pourrat, André Thérive, Isabelle Rivière, André Sabatier enchérirent. Ainsi, d'emblée, « Terroir » révélait un écrivain de haute tenue, au talent fait de tact, d'ondes, et de vibrations, au chant singulier. Un an plus tard paraissait « Matricule huit ». L'accueil fut aussi favorable.

Et puis, pendant longtemps, Jean Gaulmier cessa de publier. La recherche, l'enseignement, les missions, ce que l'on peut appeler sans ostentation le devoir, les voyages requirent ses jours et ses nuits d'insomniaque. Sur les conseils de son maître Louis Massignon, il avait accepté le poste de directeur des études françaises à Hama avant d'être nommé à Damas et Alep. Sa voie fut tracée. A part les années de guerre durant lesquelles, engagé dans les Forces Françaises Libres, de Gaulle l'appela à diriger le service d'information et de radiodiffusion de la France combattante au Levant, il ne quitta plus l'Université. Beyrouth, Strasbourg, la Sorbonne, entre autres lieux, l'accueillirent.

Ce n'est qu'en 1945 qu'un nouveau livre de lui parut. « De Gaulle écrivain. » Six ans plus tard, sa thèse de doctorat sur l'idéologue et orientaliste Volney, si célèbre aux XVIIIe et XIXe siècles, était publiée. Ensuite? Livres de référence et articles se succédèrent jusqu'aux trois volumes de la Pléiade, consacrés à Gobineau, dont il a la responsabilité. N'est-il pas un des plus grands connaisseurs de l'auteur de « L'Histoire des Perses » ? Un de ces connaisseurs qui faisait dire à Pierre-Henri Simon : « Le projet de Jean Gaulmier, devant un écrivain de haut rang dont il contribue à entretenir le culte, n'est pas de servir son héros par le panégyrique. » Le compliment n'est pas mince. Il nous incite, avouons-le, à freiner une énumération qui engloberait l'ampleur des travaux du professeur – de Michelet à Renan, de Breton à Jouhandeau dont il fut l'ami – et les éloges que l'on décerne depuis un demi-siècle à cet homme en majesté.

Oui, cinquante ans ont passé. Et voilà que « Terroir » reparaît, sans que le livre ait jamais rien perdu de son pouvoir. La mélancolie l'habite. « C'est un livre quasi familial, dit l'auteur, car il doit beaucoup à la collaboration de mon frère qui partageait ma nostalgie. » Des êtres tirés du souvenir vivent. Jean Gaulmier existe en eux, sa voix devient la leur, et cependant on a la sensation qu'il ne les prive jamais de leur liberté. Ils sont tels que l'écrivain nous les montre. Avec leur tristesse, leur retenue, leur patience, leur mystère. Ce sont des hommes et des femmes qui semblent ne pas s'interroger sur le sens des choses et qui, par leur seule présence, gomment les à-quoi-bon qui nous minent. Les odeurs, les maisons, la rosée, le musical silence des matins, la peine des humbles, un regard, un moment banal et pourtant unique pour l'éternité, ce que portent en eux d'émotion les objets les plus usuels, la mélodie ou la plainte des arbres dans le vent, la couleur du temps et de la nature, les faits quotidiens que l'on ne distingue plus tant la routine les dérobe à l'attention : voilà ce qui se dévide de l'écheveau d'un écrivain dont le rayonnement feutré nous enchante. Jean Gaulmier est nuance, délicatesse, scrupule. Il fait son miel de ce que son enfance a retenu de l'époque où les cours de ferme n'étaient pas des garages, où le cambouis ne salissait pas les mains des paysans. Dans « Terroir », la nostalgie le blesse et l'aide à vivre. Il l'élève comme un sacrement. La terre, cette terre d'Alain-Fournier, de Charles-Louis Philippe, d'Émile Guillaumin, de Marguerite Audoux, entre Bourbonnais et Berry, « ces pays qu'on ne voit qu'en écartant les branches », imprègne chaque page du livre. Le recueillement n'y est pas absent. Et la solennité, peut-être, car si « la malchance des pauvres n'est pas seulement cruelle, elle est plate; M. Jean Gaulmier, comme le disait naguère André Thérive, en fait sentir la grandeur et le touchant. J'ai rarement découvert, ajoutait-il, un auteur mieux né pour observer le peuple et garder le ton juste. Son art approche la perfection ».

Mais mieux vaut se taire, à présent, devant une œuvre si accordée à la simplicité. Un livre de foi, chargé d'humanité, s'ouvre pour nous. Est-ce le moment d'en faire bon marché?

Louis NUCERA.

TERROIR

C'EST à toi que je veux offrir ce livre qui te rappellera ce qu'il y a de meilleur chez nous : le soleil sur les javelles – le vin gris nouveau – les mains roses des vieilles laveuses au retour de l'étendoir – le sourire de quelques anciens indulgents – à toi, qui sauras comprendre mieux que nul autre tout l'amour que j'ai enclos dans ces pages.

Qu'elles te rappellent notre conversation, ce soir d'entre les soirs, ce onze juillet qui entendit nos confidences. Sous les étoiles naissantes, nous avons parlé comme jamais nous ne l'avions fait, tant l'ombre se trouvait propice et, par une grâce spéciale, accordée à nos soucis. Nous avons repassé ensemble toutes nos infortunes d'enfants, toutes nos petites tristesses capitales de collégiens, tous nos dégoûts d'adolescents. Nos cœurs se gonflaient de larmes que nous essayions vainement de nous dissimuler, lorsque nous revivions les péripéties de ce voyage banal et triste.

TERROIR

Mais devant nous, dans la nuit faite, le terroir était là, et nous sentions sa présence amie, de même qu'il suffit, au plus profond des ténèbres, de poser sa main sur la tête d'un bon chien couché qu'on devine sans le voir, pour être rassuré.

Ah! nous en avons perdu, des nuits et des nuits à guetter, en espérant sans cesse la rencontre favorable! Nous avons cru à la sagesse des philosophes, à la justice divine, au devoir social, quoi encore? Nous n'avons trouvé nulle part l'apaisement désiré : tout cela s'est succédé comme l'ombre des branches sous la lune.

Il ne nous reste que toi, terre aux horizons plats, avec tes chaumes sans bornes et tes noyers ronds, mais tu as répondu!

Oui, pourquoi tant chercher, puisque ce pays nous offre, de quelque côté que s'égare notre course, des fontaines pour rafraîchir notre front et de hautes luzernes pour nous reposer? Après avoir espéré une certitude qui n'est pas venue, qui ne pouvait pas venir, nous sommes rentrés les mains vides. Nous avions de la haine pour nous-mêmes, et tout nous semblait mauvais. Mais il a suffi de prendre un peu de cette terre féconde, de rouler entre nos doigts une feuille sèche, pour nous composer un humble bonheur subtil et suffisant. Nous avons répudié les rêveries folles et les vaines attentes. Le sourire glacé de la lune d'avril nous a appris qu'il ne fallait pas compter outre mesure sur de problématiques moissons. Résignation et sagesse, tes conseils, ô terroir, sont les seuls que nous ayons pu tolérer.

Tous ceux qui ont voulu s'occuper de notre bonheur, nous diriger, fût-ce avec sollicitude, parmi le dédale de notre vie intérieure, nous ont irrémédiablement froissés. Il fut des soirs de lassitude où nous avons imploré d'un passant le simple geste qui réconforte, mais nul n'a compris. Les uns se sont détournés (et ceux-là, oh! ceux-là, nous leur conservons une amitié déchirante!). D'autres ont essayé de comprendre, avec toute leur bonne volonté, mais nous attendions d'eux autre chose que ce qu'ils nous donnaient. Et pour ceux-là nous n'avons pas de pitié.

Il ne nous reste plus que toi, terre basse aux horizons plats avec tes chaumes sans bornes et tes noyers ronds, mais tu as eu pour nous l'attirante compassion des vieilles servantes. Nous t'avons confié toutes nos peines, les grandes, celles qui blessent pour la vie, pareilles aux traces du vent d'orage sur le tronc des jeunes arbres; et puis les petites, celles qui s'accumulent au fond du cœur comme l'invasion sourde d'une saison dans les bois, sans hâte ni brusquerie, les petites peines qui font la vie grise et qu'on finit presque par aimer.

TERROIR

Nous t'avons confié tout cela et tu as tout compris. Le voyage est fini : l'ancre a mordu les roches, et nous sommes au milieu des choses familières, à demi consolés déjà.

PREMIÈRE PARTIE

VACANCES

SOUVENIRS des vacances de jadis! Si diverses et cependant si pareilles, elles pèsent sur nos épaules comme le sac mystérieux des bonshommes qui nous effrayaient alors : à chaque étape, le sac semble plus lourd aux reins du vieux mendiant, et parfois il s'arrête sur le bord de la route; il contemple ses trésors et il repart sans avoir pu se décider à rien jeter de tout ce bric-à-brac.

Souvenirs des vacances au terroir, souvenirs qui nous émeuvent encore, malgré le passage des heures cruelles, au point d'être à jamais inséparables de certaines époques de l'année. Car en dépit de tout, nous conserverons ce petit cœur d'enfant, et l'année nous sera toujours marquée par les bornes des vacances.

★

Noël. – Premières mandarines un peu aigres qu'on achetait dans de petites caissettes plates. Et, le couvercle soulevé, on voyait apparaître les beaux fruits enveloppés de papier d'argent.

Les grands prés inondés s'étendaient sous la lune lorsqu'on allait à la messe de minuit. On croisait sur la route des gens qui venaient de locatures lointaines et dans les ténèbres, on ne reconnaissait pas leur visage. Sonorité étrange des cloches sur le grand paysage pluvieux. Profondeur de l'église immense dans l'ombre. Les enfants mal éveillés se croyaient au paradis. Au fond, dans une chapelle latérale, une crèche naïve en carton peint et papier d'emballage paraissait si belle au milieu des bougies – (crèches des églises de villages, crèches abandonnées que nul roi mage, que nul berger ne visite, et que les mains maladroites des vieux curés ont disposées).

Et puis, au retour, c'était le réveillon frugal, la chambre chaude où l'on s'endormait en rêvant aux jouets du lendemain.

Le réveil au matin, paresseux dans le lit tiède. Il y a de la buée sur les carreaux et dehors, la campagne glacée repose sous la paix neigeuse ou dans le marasme des dégels. Les arbres sans feuille sont pleins de nids de margots et des corbeaux inquiets rament sur le ciel bas.

Et dans la maison, de haut en bas, c'est l'allégresse raisonnable devant les cadeaux qu'on attendait plus beaux et qui pourtant réjouissent par leur nouveauté. Simples sucreries confectionnées par les mains maternelles, papillotes de chocolat enveloppées de légendes naïves ou caramels mous. – Non, ce n'étaient pas les beaux jouets longuement médités sur les catalogues, les jouets dont on avait discuté pendant les interminables promenades sur la route de Coust ou sur celle de Clavière. On avait rêvé d'une épicerie ou d'une panoplie et on avait des petits plats en émail bleu ou un képi de soldat. La déception était douce malgré tout, car au fond elle était attendue.

Pareil à l'enfant que nous avons tous été, qui écoutait la belle histoire de Jeanne d'Arc. Il était sûr en lui-même que cette histoire finirait mal et, le dénouement connu, il fondait en larmes tant cette désillusion répondait exactement à son attente.

Beaux Noëls d'enfants sages! Lorsque je songe à vous, c'est une grande maison noire que je revois, avec un jardin humide où la nuit s'amassait dès trois heures, et la tourelle de l'escalier dont les petites fenêtres avaient des vitres bleues et rouges. Je revois la cuisine flambante où les bassinoires de cuivre étincelaient. Au coin du feu, sous la rôtissoire au murmure aigrelet, il y a des hommes en vêtements de velours qui reviennent d'une assemblée lointaine ou d'une tournée dans les pâtureaux : leur grosse veste mouillée par la pluie fume, et ils parlent de choses inconnues. Dans la cour où la nuit monte, entre les maigres massifs de fusains, on entend des sabots clapoter et c'est la voisine, l'épicière, qui paraît à la porte, son fichu de laine noire frileusement serré sur ses épaules.

Et dans le cœur de l'enfant raisonnable qui regarde tout cela assis dans la pénombre sur sa chaise basse, près de la cheminée, il y a tout un drame d'insoupçonnée tristesse. Il est pareil à cette petite qui avait assisté à la noce de son frère et qui pleurait au retour, parce qu'on ne l'avait pas assez invitée à danser : regret de la belle journée si vite terminée, effroi résigné devant la torture du deuxième trimestre d'école.

*

C'est qu'il était interminable, ce deuxième trimestre, avec ses journées courtes et pluvieuses, les récréations qu'on passait dans la poussière du préau de gymnastique, frileusement blotti près du mur.

Que de fois alors, nous songions au pays tranquille qui s'étendait, parmi les brumes, très loin, au domaine solitaire entre les champs où peinent les laboureurs, aux routes boueuses qu'anime la rumeur des foires.

Rien n'était dur comme ces rentrées du dimanche soir, ces rentrées sans joie après un jour d'ennui. L'horloge lumineuse de la Justice de paix marquait six heures. Les grandes rues de banlieue se perdaient dans la boue, entre les platanes maigres et les cafés clignotants, et l'on n'osait pas parler, tant on sentait les larmes près de jaillir.

Dès la porte du collège, au gémissement rouillé d'un tramway, tout l'ennui de la maison montait comme une odeur de feuilles mortes. Après des adieux hâtifs, on entrait, on errait désœuvré à travers le grand hall vide; on finissait par s'asseoir dans la salle de récréation où l'on se disputait des « Magasin Illustré » dépareillés.

En avons-nous ainsi commencé, de ces belles histoires sans queue ni tête dont, le dimanche d'après, on cherchait en vain la suite dans le tas des vieux livres déchirés! Qui donc nous dira ce qu'est devenu le capitaine après sa chasse au tigre dans la brousse de Bornéo, ou le vieil horloger qui cherchait le secret du monde, ou la petite danseuse de corde qui fuyait le cirque où elle était persécutée? De qui sont-elles, ces histoires dont nous ne nous rappelons même pas le titre, mais qui, par bribes, suffisaient à nourrir nos rêves pendant une semaine?

Et la tristesse qui soudain serrait le cœur de l'enfant orphelin, lorsqu'il voyait rentrer vers neuf heures dans le dortoir silencieux les heureux qui avaient dîné en famille. Il cachait alors sa tête sous ses couvertures et faisait semblant de dormir pour ne pas répondre à des questions qui lui auraient tiré des larmes. Et il avait peur en lui-même d'être injuste.

★

Les jours passaient lentement. L'hiver peu à peu inclinait vers le printemps, et après l'émoi des examens trimestriels arrivait le bienheureux jour des Rameaux. Vacances de Pâques! Prise de possession d'un pays tout neuf, souriant sous sa parure verte, fleuri d'arbres blancs, avec le chant de mille ruisseaux qui coulent à ras bords. Joie un peu inquiète pourtant et mal assurée. Avant d'arriver au dimanche si longtemps désiré, il fallait traverser la semaine sainte et tous ses longs offices tristes. Interminables chemins de croix dans l'église de la petite ville, avec les fidèles qui font virer leurs chaises pour suivre du regard la lente procession. Les fillettes de l'école libre, en gros sabots, suivent la directrice contrite et chantent votre crime,

Ô juifs, infâmes déicides...

C'est la semaine sainte avec la redoutable confession pascale qu'on aborde en tremblant, bourrelé de scrupules – jusqu'au jour triomphant de Pâques.

Ce jour-là, la joie est complète : on a assisté

VACANCES

à la première messe et on est revenu à la maison, le cœur enfin léger, pour chercher à travers les premières roses les œufs colorés en rouge que les cloches ont semés à leur retour. Joie enfantine. Évangile des femmes aux aromates. Premiers souffles tièdes sur les vignes des Crys. Et à vêpres, le sacristain Blondet gueule à pleine voix :

O filii et filiae
Rex cælestis, rex gloriæ
Mortem surrexit hodie...

(Catholicisme d'enfance, pourquoi nous avez-vous laissé, malgré nos justes révoltes, d'aussi nostalgiques regrets? Chaque période de vacances avait ses fêtes, son atmosphère religieuse propre. Et comment nous défaire de tout cela qui nous a marqués pour la vie?)

Alors commençaient vraiment les vacances, les longues promenades sur la route de Coust où des violettes poussaient au rebord des fossés, les après-midi dans le parc immense avec ses allées moisies, où l'on confectionnait, sur une ficelle tendue entre deux arbres, de belles balles de coucous. Le muguet commençait à fleurir dans les fonds et le ciel semblait sans limites, balayé par des brises folles qui vous faisaient monter les larmes aux yeux derrière la croix Chamerlat, près de la vigne du père Soret.

Soudain, au moment où l'on allait s'habituer à cette vie paisible, il fallait reprendre le chemin de la ville. On repartait le dimanche de Quasimodo et on avait peine à trouver de la place dans le train, parce que le lundi qui suit les fêtes est jour de foire à la sous-préfecture.

Traversée en chemin de fer de la grande banlieue printanière vers le soir. Des employés de bureau en manches de chemise arrosent leurs pelouses et, sous les arbres, on dresse la table pour dîner dehors. Les enfants qui sont allés chercher de l'herbe pour les lapins s'arrêtent le long de la voie, le visage collé contre la barrière. Ils tiennent d'une main leur tablier plein de verdure et de l'autre, ils saluent le train qui passe. Et les voyageurs ne sauront jamais si c'est par la droite ou par la gauche que l'on descend de wagon à Juvisy, L'Haÿ-les-Roses ou Choisy-le-Roi...

Mais en arrivant au collège, on avait la surprise de trouver les marronniers en feuilles. Le temps semblait court jusqu'aux grandes vacances, et pourtant les jours n'en finissaient pas de mourir. Dans les cours embaumées par l'odeur des acacias, des groupes se formaient au crépuscule entre camarades qui causaient gravement. Premières petites crises d'amitié dans des cœurs d'adolescents acharnés à souffrir. Puis brusquement c'était juillet, les compositions de fin d'année, la distribution des prix et le retour au pays – où l'on arrivait avec un sentiment de sécurité, où l'on s'installait avec l'impression du définitif.

VACANCES

*

Souvenirs d'années différentes qui se mêlent et auxquels on ne peut assigner leur date précise! Les années, lorsque nous songeons aux grandes vacances, ne sont plus juxtaposées dans leur ordre réel mais se mélangent sans que demeure de repère pour apprécier la fuite du temps. Les instants qui furent les plus doux sont aussi les plus oubliés : en jouir, c'était en même temps désirer les conserver dans leurs moindres détails, et notre souci de mémoire devenait si absorbant qu'il effaçait tout le reste. Ainsi lorsque l'on porte un verre d'eau et qu'on est attentif à ne point le renverser, la main frémit.

En quelle année faut-il placer le tremblement de terre au crépuscule? La rôtissoire se mit à tourner toute seule dans la cuisine et les chiens apeurés se cachaient sous la paille de la niche.

En quelle année est morte la grosse lapine de la mère Lépinat, par un beau soir plein de roses? Toutes les voisines se concertaient gravement autour du cadavre de la pauvre bête.

En quelle année avons-nous bâti la maison en planches, entre le vieux puits bordé de corbeilles-d'argent et de carafées, le lilas mauve et la ténébreuse chambre où l'on mettait les poules à couver?

33

Et tout cela s'accompagne du souvenir des longues journées ensoleillées, les devoirs de vacances exécutés avec peine dans l'ombre de la chambre à l'alcôve violette, les promenades, vers le soir, entre deux haies d'églantines à travers la terre rouge des vignes, et les foins et les moissons, la cueillette des cerises sur le grand cerisier et celle des noix sur le noyer du verger au bord de l'eau, et par-dessus tout la découverte progressive de la maison aux glycines.

Souvenirs de grillades sur le potager de la vieille cuisine où s'entassaient des objets hétéroclites, poignards japonais et bocaux vides, chaises cassées et tapisseries anciennes. Au-dessus de la cheminée où l'on ne faisait jamais de feu, il y avait deux gravures jaunies : l'une représentait des chevaux au pâturage, et l'autre, naïvement coloriée à la mode de 1820, le départ de Napoléon pour Sainte-Hélène. Souvenir de la vieille écurie pleine de fagots et de la buanderie où s'ouvrait la porte mystérieuse de la chambre aux bouteilles vides.

Que de recoins d'ombre! Que de cabinets silencieux avec, sur le mur, les daguerréotypes pâlis des aïeules adolescentes! Maintenant encore, il nous semble que nous n'avons pas tout vu de cet immense domaine et qu'il doit y avoir des issues ouvrant sur d'incompréhensibles greniers, des lucarnes comme celle qui servait d'entrée au pigeonnier et par où nous nous glissions au sommet de la tourelle, des portes enfin sur des régions inconnues qui dorment sous la poussière et ne nous seront jamais révélées.

(Ah! éternels enfants que nous sommes, semblables à la Blondine de ce conte de fées qui errait autour de la forêt des Lilas dans sa petite voiture attelée d'autruches et qui désirait tant pénétrer sous l'ombrage interdit. Forêt défendue où règne tout le charme triste du passé, vieille maison aux glycines!)

*

Arrivée de la famille et des amis, par les après-midi paisibles où les bœufs dorment dans les maigres pacages.

Il y a l'arrivée des grands-parents en voiture : on les conduit tout de suite à leur chambre, et un moment après, ils descendent au jardin pour goûter, ils ne dérangent personne et la vie continue, semblable, avec ses petits travaux.

Il y a l'arrivée des cérémonieuses tantes de province qui n'aiment pas la campagne et restent longuement au salon, leur chapeau sur la tête, comme si elles étaient en visite pour une heure.

Il y a l'arrivée des Parisiens qu'on reçoit avec une tasse de thé et qu'on emmène ensuite, vaguement gêné, se promener dans les champs. Ils aiment le pittoresque, mais il faut leur choisir les bons chemins et les prés où il n'y a pas de vaches ni de chevaux. Les petits cousins pleurent parce qu'ils n'ont pas leurs joujoux habituels et qu'ils se sont pincé les doigts en voulant soulever le couvercle des malles.

Il y a l'arrivée de l'ami à qui l'on présente longuement le pays aimé, avec l'effroi secret qu'il ne comprenne pas. Pauvre terroir sans beauté, paysage de longues lignes humides où l'on sait qu'il ne trouvera rien, où l'on est sûr qu'il va s'ennuyer! Comment lui en faire un reproche? Mais au fond, on lui donne tort et l'on sent brusquement comme il est loin. On continue à l'aimer, mais jamais plus on ne le prendra pour confident.

(Pareil à ce paysan qui s'était loué pour les foins du côté de Lignières : et là-bas, il avait épousé une moindre que lui. Comme il revenait en voiture au domaine de ses parents, la saison terminée, il se demandait quel accueil allaient faire les vieux à la pauvre petite femme fardée qu'il leur amenait.)

Combien de promenades avons-nous faites ainsi dans le pays de branches, avec celui qui ne pouvait comprendre! La jument allait au pas, guidée par les ornières du chemin d'herbe, et nous avions le temps de sentir notre détresse. C'est en vain alors qu'on essayait de se perdre entre les larges haies d'aubépines. On aurait voulu suivre cette petite route qui ne menait nulle part, avec le secret espoir de découvrir au tournant le coin pittoresque, le vieux château qui eût fait plaisir à l'ami et nous eût pour un temps réconcilié avec lui. Émoi bref de se sentir loin, très loin. Mais il n'y avait rien au tournant, qu'une mare entre deux grosses pierres, ou une maison basse avec une femme qui, la main au-dessus des yeux, suivait longuement du regard la voiture inattendue. Après le tournant, il y en avait un autre, puis un autre, tous pareils, et l'on finissait par déboucher sur la grand-route trop connue. Alors, on se hâtait, sous prétexte que le soir venait, mais surtout parce qu'on avait l'âme en peine.

Ainsi mourait l'été dans la petite ville. Les salades montaient en graines dans les jardins. Il grêlait sur les vignes et les pêches jaunes étaient volées sur les arbres ou dévorées par la volatige. Tout doucement, septembre arrivait parmi les orages. – (Silence pesant de certains soirs sur la campagne anxieuse où nul rameau ne bouge. Les oiseaux apeurés volent bas. Dans chaque domaine, le métayer est en colère parce qu'il craint la foudre, et il rudoie sa femme. Discussions fiévreuses sous le ciel jaune et vert, gras comme un champignon vénéneux. Puis s'élève le grand vent fou. Les taures, la queue dressée, galopent autour des prés. Les portes claquent dans la maison. Le premier coup de tonnerre éclate avec le fracas d'un tombereau de betteraves qu'on décharge. Il faut rentrer en hâte la lessive qui sèche sur la haie du jardin et, de toutes les vignes, monte le petit nuage affolé et blanc des paragrêles.) – Le grondement sourd des machines à battre venait des quatre coins de l'horizon, à travers les haies de sureaux mûrs, sur l'aile des vents chargés de poussière.

★

Il y avait aussi les jours trop attendus, dont on se promettait à l'avance tant de bonheur et qui passaient comme les autres. Ainsi les jours de batteuse dans le domaine : quand la machine est partie avec son cortège d'ouvriers rieurs, le métayer reste seul dans sa cour pleine de balles. Et c'est alors seulement qu'il s'aperçoit que la moisson a été mauvaise...

Cérémonieuses visites de septembre au château lointain plein de jeunes filles. Jeux sous l'ombre verte des marronniers. Et les retours dans la lourde voiture familiale, les retours coupés de propos aigres, parce qu'on était de mauvaise humeur pour être parti avant la fin du jeu. Traversée à la nuit tombante de la forêt où la route rouge s'enfonçait entre les fougères. On s'arrêtait, l'étang passé, à la maison du garde, pour lui faire une commission : afin de mieux écouter, il appuyait sa tête sur la barrière rouillée, tandis que ses longs chiens hurlaient à perdre haleine. On croyait que la mauvaise humeur venait d'un croquet interrompu, et

c'était déjà toute la détresse d'amour qui défer-
lait...

Est-ce qu'on rencontre encore sur les routes, à la tombée du soir, le pauvre cordonnier
avec son parapluie sous le bras? Chaque jour,
après avoir fermé sa boutique, il allait se promener parce qu'il avait une maladie de cœur et
que son travail le fatiguait dans l'échoppe
basse.
Est-ce qu'elle vit toujours, la vieille coutu-
rière qui nous donnait un pochon de bonbons
lorsque nous allions chez elle pour chercher une
de ces robes qu'elle promettait inlassablement
et ne terminait jamais?
Je voudrais dire la tristesse de ce paysan
maigre qui avait amené une paire de bœufs à la
foire pour le jour de Saint-Michel. Lorsqu'il
voyait ses bêtes au pré, elles lui paraissaient
magnifiques et sans rivales; soudain, il s'aperçoit de tout ce qui leur manque, en les compa-
rant aux autres; il les a lustrées et pomponnées
avec soin, et même, il leur a mis entre les cornes
un petit bouquet de carafées tardives. Mais nul
ne les regarde, et vers les neuf heures, avec un
sourire résigné, il dit au gamin distrait appuyé
sur sa touchoire :
— Allons, je vois bien que j' vendrons
pas!
Il y a aussi ce domestique de ferme que
nous avons toujours connu et qui vieillissait à

l'écart, sans amour et sans joie. Il était né entre Épineuil et Ainay-le-Vieil, dans le pays des châtaigniers et des routes blanches, et depuis sa jeunesse, il servait au même domaine. Les maîtres avaient changé, les métayers aussi : mais lui demeurait fidèle aux bâtiments déla-brés où son père l'avait amené jadis, un jour de Saint-Jean. Il vivait pauvrement parce qu'il avait toujours peur de manquer et aussi parce qu'il n'aimait pas dépenser de l'argent gagné avec peine. On le disait riche, bien qu'il ne portât pas de chaussettes dans ses sabots garnis de paille et qu'il s'attachât autour de la taille, pour le pansage, un tablier fait d'un vieux morceau de tapis et de deux ficelles de moisson-neuse.

Lorsqu'on se moquait de lui, il répondait posément, sans se fâcher :

— Je ne suis pas assez berdin pour manger mon bien jusqu'au cotron!

— Allons! Tous ceux qui vivent sont donc berdins?

— Marchez, marchez! Il y a plus de berdins que d'ânes cornus!

Que de fois avons-nous entendu ces paro-les, pendant les longues journées d'arrière-saison, alors que la pluie ruisselait sur le domaine sans vie et que dans la grange, il coupait des betteraves pour les veaux.

Et après un silence lourd de méditation, il ajoutait :

– C'est toujours les mêmes complots que se tramont!

Il y avait alors dans son regard perdu, non pas de la révolte, mais la lassitude de celui qui a fait beaucoup de journées sur les terres des autres.

Malgré son âge, il ne voulait pas quitter la ferme, ni se retirer dans la maisonnette qu'une de ses sœurs possédait à Braize où elle tenait un commerce de mercerie. Alors, on le gardait au domaine où il rendait encore des services parce qu'il aimait son travail et qu'il ne sortait jamais. Sa seule distraction, le dimanche, c'était de se promener dans les prés pour voir l'état des bouchures et des fossés, comme s'il avait été le maître.

Une année, à la batteuse, le métayer, qui voulait l'employer sans trop le fatiguer, le chargea de ramasser les balles dans les longues resses d'osier et de les mettre en tas. Et pour ménager l'orgueil de l'ancien, il lui disait :

– Voyez-vous, Pierre, les jeunes ne savent pas arranger ça comme vous!

Il ne répondit rien et se mit au travail, mais il connut ainsi qu'il était devenu vieux et bon à rien. L'hiver suivant, aux premiers froids, il se laissa mourir.

Pauvres figures croisées au tournant des vacances, pauvres figures que nous ne reverrons plus! Après bien des années, nous nous retrouvons parmi vous avec nos peines et nos indéci-

TERROIR

sions d'alors, comme l'enfant qui se regarde dans le fond d'une boîte en fer-blanc et s'étonne d'y voir son visage insaisissable. Tout ce temps lointain, nous nous prenons brusquement à le regretter : c'est la lâcheté soudaine du métayer qui change de domaine et vient coucher pour la première fois dans la demeure nouvelle qu'il ne connaît pas; nul feu ne brille dans la cheminée; dehors, les champs qu'il va avoir à labourer s'étendent, immenses, sous la pluie fine de novembre; alors il regrette son ancienne locature où il a été misérable.

*

Puis c'était octobre et le départ, dès les vendanges...

J'AI VU LE DOMAINE...

J'AI vu le domaine perdu dans les bois sur le bord de la route rouge.

Ceci, c'est la maison que Pierre a bâtie, deux grandes pièces carrelées et, au-dessus, un grenier.

Ceci, c'est le grenier de la maison que Pierre a bâtie : le sol est en planches pour empêcher les grains de geler par les nuits lunaires. (Plonger son bras nu dans les tas de grain bien séparés.) Il y a une mesure et une pelle en bois pour retourner le blé humide et faire sécher les têtes d'ail.

Ceci, c'est la cuisine de la maison que Pierre a bâtie, avec une longue table et deux bancs, la marmite sur les chenets et la planche à pain qui pend du plafond. Près de la porte, il y a l'âche basse, qui sent le fromage blanc et les poires madeleine lorsqu'on soulève son lourd couvercle. Il y a aussi le placard où l'on range les assiettes à fleurs pour les jours de fête. Sur l'appui de la fenêtre, voici les lunettes de la vieille avec la boîte pleine de laines pour les savantes reprises. Dans le coin, il y a, rangées deux par deux, les chaussures de toute la famille pour aller aux foires et aux noces. Ceci, c'est la chambre de la maison que Pierre a bâtie. Le carreau rouge est bien frotté, et l'on n'y entre qu'après s'être déchaussé sur le seuil. Il y a au mur un certificat d'études primaires et un diplôme de deuxième prix au concours de labourage du Comice cantonal. Sur la cheminée, il y a des photographies de Pierre lorsqu'il était soldat, les bras croisés, avec des camarades. Et puis, il y a le lit avec le grand édredon rouge et la courtepointe festonnée.

Ceci, c'est la buanderie de la maison que Pierre a bâtie, avec la chaudière et le coquemard, le tenou plein de lessu brun qui fume par les matins d'hiver, avec la chaise basse où la Joséphine s'assied pour plumer les poulets des repas de batteuse, avec les peaux de lapins tendues sur de petits arcs, avec le panier plein d'os que le peilleraut vient acheter tous les mois. (Et ce sont alors de longs conciliabules dans la cour du domaine quand le vieux barbu soupèse le panier avec son crochet rouillé.)

Ceci, c'est l'étable de la maison que Pierre a bâtie, avec les quatre vieux bœufs (Courtin, Feuilletin, Bourgeois, Compagnon) et les quatre jeunes, qui ne sont pas encore dressés. Il y a aussi huit vaches blanches et une laitière bretonne, mais elles sont anonymes.

Ceci, c'est l'écurie de la maison que Pierre a bâtie. Il y a deux juments qui s'appellent toujours Courte et l'Amour. Derrière elles, au mur, sont pendus les harnais, les colliers usés des jours de travail et le beau collier que l'on a repeint pour le dernier Comice agricole.

Ceci, c'est la grange de la maison que Pierre a bâtie. Elle est pleine de foin. Des chats y gîtent; les poules parfois y vont pondre et l'on en voit dans les coins sombres qui couvent patiemment en roulant de gros yeux sévères. De vieux mendiants aussi viennent y dormir par les nuits pluvieuses, après avoir laissé leurs allumettes entre les mains du maître.

Ceci, c'est la cour de la maison que Pierre a bâtie. Au milieu, il y a la pelote de fumier, les tombereaux appuyés sur leurs chambrières et la voiture à bœufs penchée sur son gros brancard unique. Il y a aussi une pêcherie entourée de vieux aubiers et les pintades se perchent sur l'échelle du grenier.

Ceci, c'est le jardin de la maison que Pierre a bâtie, avec le puits à margelle basse, la ségère où les fromages caillent sur les virouets d'osier, avec une treille de chasselas et un poirier de Saint-Jean. L'été, la treille est lourde et les abeilles se noient dans les carafées profondes. Mais maintenant, c'est l'hiver et la désolation dans le jardin où les vieux pieds de pomme de terre pourrissent.

Tout cela appartient à la maison que Pierre

TERROIR

a bâtie. C'est un domaine entre les domaines, le kilomètre 14 sur la route départementale de Saint-Amand au Pondy, comme disent les cartes. L'étranger de passage ne sait pas que cela s'appelle le Pré-Salloux et que cela représente tout un monde pour l'enfant de vingt ans qui fait son service militaire au Maroc ou en Syrie...

HISTOIRE DE CINQ-ENFANTS

L E samedi 1ᵉʳ août 1914, sur les huit heures
du soir, Jean-Louis Desbreures, fermier
aux Odonnais, rentra sa dernière carriole de blé
au domaine.

Depuis plusieurs jours, des bruits couraient
dans le pays que la guerre avec les Prussiens
allait recommencer, mais personne ne voulait y
croire. Ce soir-là surtout, malgré l'inquiétude
sourde des paysans privés de nouvelles, tout
semblait si gravement sage et ordonné que nul
ne songeait à la guerre.

En arrivant au domaine, Jean-Louis vit sa
femme qui l'attendait à la barrière, et elle lui
faisait de grands gestes pour qu'il se hâtât.
Alors il toucha ses bœufs et pressa le pas. De
loin, elle lui cria :

– La mobilisation est annoncée... Ça va
être la guerre!

– La guerre! Bon Dieu, où as-tu pris ça, la
Francine?

Jean-Louis s'arrêta brusquement.

Elle le rejoignit et lui expliqua :

– Je suis allée au marché à Laugère et c'est
là que je l'ai écouté dire. Tout le monde en
parlait. L'ordre est affiché à la mairie, à la
gendarmerie, partout enfin. Je viens seulement
de rentrer : alors, tu comprends, ça ne méritait
guère que j'aille aux champs te le dire. Tu ne
pouvais pas tarder à revenir.

Jean-Louis, appuyé sur sa touchoire, réflé-
chissait sans rien dire. Elle continua à voix
basse retenant des larmes :

– C'est triste tout de même de voir ça!

Ils restèrent là un moment, et tous les deux
imaginaient la séparation prochaine.

Alors les domestiques arrivèrent, la fourche
sur l'épaule. Il fallut recommencer les explica-
tions, leur apprendre les nouvelles en détail.

– La guerre!

Mais cela ne leur faisait pas le même effet
qu'à Jean-Louis, parce que nul d'eux trois ne
devait partir : le vieux Rémy avait passé l'âge et
les autres étaient encore trop jeunes. Et puis, ils
n'étaient pas fermiers aux Odonnais et
n'avaient pas de moisson à lever...

– C'est pas tout ça, les gas, dit enfin
Jean-Louis, on va décharger.

Il toucha les bœufs et amena la carriole sur
l'aire. Ils avaient mis sur le devant de la voiture
un petit bouquet de fleurs sauvages, suivant la
tradition, pour signifier que c'était le dernier
chargement de blé. Et ces simples fleurs, au

milieu des tragiques nouvelles qu'ils venaient d'apprendre, avaient un air lamentable qui serrait le cœur du fermier.

Ils se mirent à décharger, et ils avaient la volonté de bien travailler, les domestiques particulièrement, attentifs à faire plaisir au maître, comme des parents autour d'un enfant qui va mourir. Jean-Louis bâtissait le gerbier lui-même, un mouchoir à carreaux noué autour du genou gauche pour éviter l'usure du pantalon. Il se disait, en remuant les gerbes, que c'était peut-être la dernière fois qu'il faisait ce travail-là. Il songeait à sa femme qui attendait un héritier et aux trois autres gamins qu'il avait déjà. Bien des bouches à nourrir. Et il allait peut-être se faire tuer là-bas. Pourtant il ne demandait rien à personne. Alors, pourquoi? Pourquoi des choses pareilles? Il chercha un moment. Des phrases de livres d'école lui revinrent à la mémoire : « *La France est notre patrie... La Seine, la Loire, la Garonne et le Rhône sont les principaux fleuves français... L'armée... Le devoir...* » Et cette dictée du certificat d'études qu'il avait faite sans fautes, un samedi lointain, et qui se terminait ainsi : « *Être bon citoyen, c'est être bon père et bon soldat.* »

Quand même, ce n'est pas là ce qui finirait sa moisson, qui ferait vivre sa femme, qui élèverait ses enfants!

Le gerbier affaîté, il se laissa glisser sur la paille jusqu'en bas.

A pas lourds, habitués à la terre rude des guérets, ils allèrent à la maison manger la soupe.

★

Dans la vieille cuisine enfumée, on n'entendit plus bientôt que le bruit des écuelles et des cuillers. Les enfants même se taisaient. Le vieux Rémy songeait, les coudes appuyés sur la table, en mangeant consciencieusement son fromage. Des souvenirs de 70 lui revenaient. Il était parti par un soir semblable au milieu des moissons. Et des images se pressaient en foule à sa mémoire : une route blanche de poussière entre les blés de cet été sanglant – et des chemins pleins de neige et de boue, l'hiver suivant, avec des généraux tristes assis dans une chambre d'auberge, qui assistaient à la déroute muette de leurs soldats – et des coins glacés de la banlieue parisienne, le grondement des batteries de la marine sous le ciel vert.

– Oui, j'ai vu ça, murmurait-il.

La nuit tombait à petits coups d'aile, comme un oiseau blessé qui tournoie. Les domestiques s'en allèrent. Francine alluma la lampe. Alors Jean-Louis sortit pour ne pas montrer qu'il était triste. Il lui semblait que la lampe allumée allait éclairer aussi tout le fond de son cœur.

Il marchait à pas lents, sans but. Ce soir-là,

réellement il respira sa terre. Jamais il n'aurait cru qu'il pouvait tant aimer ces champs, ces vieux bâtiments et cette pêcherie même, à demi tarie entre les osiers envasés.

La guerre était comme ces grands falots qu'on met dans les écuries, l'hiver, à l'heure du pansage, et dont la lueur éclaire bizarrement des coins d'ombre. Elle lui découvrait mille choses qu'il ne soupçonnait pas en lui. Il allait par le petit chemin. Il y avait des vers luisants dans l'herbe poudreuse des bas-côtés. Il s'arrêta à la barrière de ses champs, et, sous les étoiles naissantes, contempla longuement ses légumes, ses betteraves, ses avoines.

– Une riche année! pensait-il.

Il regardait tout cela comme un étranger qui est venu d'une mauvaise locature lointaine pour acheter un taureau, et que l'on promène dans les champs et qui admire sentencieusement toutes ces choses parmi lesquelles il voudrait demeurer : mais déjà, dans l'écurie, la jument a fini son avoine et est prête pour le départ...

Brusquement, l'idée de la guerre lui revint, insidieuse et obsédante, comme un clocher d'église vers lequel on se dirige dans un pays inconnu, apparaît par les trous de la haie à chaque détour du chemin.

La lune se levait sur Laugère. La fraîcheur du soir, doux comme de la laine d'agneau, lui prit le cœur. Il rentra, la tête basse. En arrivant à la barrière de la cour inondée par le clair de lune, il vit la Francine qui l'attendait, appuyée à l'échelle du grenier. Elle pleurait. Alors, il la prit dans ses bras et la consola avec de grands mots maladroits et tendres, comme un ancien console un petit nouveau qui vient de tomber dans la cour de l'école et s'est écorché les genoux sur le gravier.

Ils restèrent là un moment. La Francine continuait à pleurer doucement. Il avait grand-peine lui-même à retenir des larmes tout près de s'échapper. La pleine lune allongeait jusqu'à la maison l'ombre des peupliers de la route. Ils rentrèrent.

★

Le lendemain, Jean-Louis se leva au petit jour. Comme le train pour Bourges – où il devait rejoindre le régiment – ne partait qu'à sept heures et demie, il voulut faire le pansage, et une dernière fois, voir ses bêtes. Il se sentait ému à la pensée de quitter tout cela. La matinée sans inquiétude de la veille lui semblait aussi lointaine que le jour de sa première communion.

Le travail fait, il rentra à la maison et se rasa. La Francine s'était levée et préparait la soupe pour les domestiques. Par moments, elle se tournait vers lui. Alors leurs regards se rencontraient, et il avait pour elle un sourire grave, plus triste que des larmes.

Il faisait maintenant tout à fait clair. On ne voyait pas encore le soleil, mais la pointe des arbres baignait dans le sang. Une belle journée se préparait.

Des pas traînèrent dans la cour : c'étaient les domestiques qui venaient prendre leur travail.

— Salut, maîtresse, fit le vieux Rémy en touchant son chapeau. On voudrait dire au revoir au Louis.

— Asseyez-vous donc, répondit-elle. Il est après se raser.

Ils hésitèrent, il ne leur semblait pas convenable de s'asseoir à un moment pareil et ils restaient debout, gauches comme dans une église; au bout d'un instant, l'ancien prit une chaise et les autres l'imitèrent, mais ils n'osaient rien dire. Dans la chambre, les gamins s'étaient réveillés et riaient.

— Eh bien, les gas, on va prendre une goutte, dit Jean-Louis en pénétrant dans la cuisine.

Et il s'assit à côté d'eux.

— Allons, Francine, donne-nous le rhum.

Elle posa la bouteille sur la table, avec la soupière fumante et le café. Puis elle alla s'occuper des enfants.

— Il devrait faire beau temps, aujourd'hui, reprit Jean-Louis. Faudra vous mettre à couper l'avoine de printemps. Vous commencerez par le champ des Rauches, parce que si jamais ça venait de l'orage, c'est là qu'elle risque le plus de verser. Surtout, vous ferez attention en la charriant; dans le bas du champ, les roies sont creuses. Faudra aussi aller voir aux taures dans le pré Chaput : il n'y a peut-être plus d'eau dans la pêcherie. Si vous avez le temps, vous nettoierez le grand fossé...

Il parlait posément, sans émotion apparente, attentif à ne rien oublier, mais son cœur se déchirait.

— Soyez tranquille, dit le vieux. On fera son possible.

Et de nouveau ils se turent, avec la conscience d'avoir dit ce qu'il fallait et de s'être compris.

Ils se mirent à manger la soupe, puis ils trinquèrent. Six heures sonnèrent à la grande horloge. Alors, pour laisser Louis un moment avec sa femme, le vieux se leva de table et partit chercher sa faux dans la grange; les autres suivirent, et ils s'en allèrent tous trois faucher l'avoine.

Jean-Louis passa dans la chambre où la Francine finissait d'habiller les gamins. Elle ne pleurait plus mais par moments elle soupirait.

— Faut pas te tourmenter comme ça, dit-il. Ça durera peut-être pas bien longtemps, cette guerre... Tiens, je suis sûr que je serai revenu pour la batteuse. J'espère que d'ici là, tu t'en tireras facilement... Une fois la moisson levée, il n'y aura plus grand-chose à faire. Et puis, tu peux te fier à Rémy; c'est un bon ouvrier, et il a bien du soin...

Brusquement, il se tut. Il sentait que s'il continuait à parler, il ne pourrait plus s'empêcher de pleurer.

– Allons! murmura-t-il au bout d'un moment, voilà qu'il est temps de partir.

Alors ils s'embrassèrent longuement.

– Si tu as besoin de quelque chose, dit-elle, tu m'écriras. Et puis, je te tiendrai au courant. Je demanderai à ma sœur de venir m'aider ici, parce que ça pourrait bien ne plus tarder...

Ils sourirent au travers de leur tristesse et s'embrassèrent de nouveau. Ensuite, il serra ses trois enfants sur sa poitrine, prit son paquet et s'en alla.

Il marchait vite, mais il se sentait plus las qu'après une journée de labour.

*

Il descendit au pays par le chemin qu'il prenait d'habitude pour aller à la foire. Et il se rappelait des départs dans la nuit, avec une paire de bœufs ou une vache à veau, l'écurie chaude et la stupeur des bêtes réveillées en sursaut, la lueur clignotante des lanternes sur les bouchures, et la première cigarette allumée au saut du lit, et les branches traînantes qui se prenaient dans les roues de la voiture, bien des choses qui lui paraissaient extraordinaires et déjà infiniment lointaines. Ces souvenirs évoqués pêle-mêle l'attendrissaient malgré lui. Plusieurs fois il se retourna, pour voir encore le toit du domaine, le pignon de la vieille grange à travers les arbres. Il était semblable à celui qui quitte pour toujours un héritage vendu où il ne doit plus revenir jamais et cherche à l'emporter tout entier dans sa mémoire.

A la gare, il retrouva des connaissances : Michard, de la Chènevière, le grand Brégeault, des Bergeries, et bien d'autres qui s'en allaient aussi sur Bourges. Il y en avait qui étaient venus de loin : leurs souliers étaient mouillés de rosée et plusieurs avaient à la bouche un épi de blé ramassé au passage d'un champ.

Louis se mêla au petit groupe serré et silencieux pareil à une compagnie de perdrix rassemblée dans un guéret gelé, frissonnant par un matin d'arrière-automne.

— Eh bien, gas de Louis, nous voilà donc revenus conscrits? lui dit Brégeault.

— Ah! malheur! En plein travail! Tu parles d'une affaire!

— Moi, intervint Michard, j'ai fini hier au soir de rentrer ma moisson. Ce n'est pas vilain cette année. Ça devrait grainer.

— Des fois, ça pourrait bien ne pas durer longtemps, reprit Brégeault. J'ai vu le brigadier de gendarmerie, il m'a dit que la mobilisation n'était pas la guerre...

– Marche, marche, fit Jean-Louis pensif, on verra. Pour moi, on n'est pas près de revenir.

Le train arriva. Il y eut encore des baisers, des mains serrées hâtivement, et de longs regards chargés de larmes.

Enfin, le train se décida à partir, lourd de tous ces cœurs d'hommes avec leur obscur chagrin. Une dernière fois, Desbreures regarda par la portière la campagne avec son domaine derrière les peupliers. Puis tout ce qu'il aimait disparut au tournant de la voie, et il ne fut plus qu'indifférence résignée. A chacune des gares, pourtant, les adieux qui s'échangeaient sur le quai le faisaient soupirer.

Ils arrivèrent à Bourges vers midi. A cette heure-là, au domaine, la Francine devait mettre le goûter des domestiques dans un panier et appeler le gamin pour le leur porter au champ des Rauches. Les trois ouvriers, las de faucher sous le ciel impitoyable, s'asseyaient sous le grand chêne de la barrière. Ils se mettaient à manger lentement, en silence, et près d'eux, la cruche de terre rouge pleine d'eau rafraîchissait, à demi cachée dans les hautes herbes.

★

Pendant une vingtaine de jours, ils s'ennuyèrent à la caserne du 144ᵉ régiment de réserve. Ils s'étaient fait photographier dans

61

l'uniforme militaire qui leur allait mal, et chacun d'eux avait envoyé le groupe chez lui. Désœuvrés, au long des corvées inutiles, ils songeaient à tout le travail qui pressait là-bas, dans la campagne, et qui devait se faire à grand-peine en leur absence. Mais depuis longtemps la terre leur avait appris la résignation.

Un soir, Desbreures reçut des nouvelles du domaine. C'était la Jeanne, sa belle-sœur, qui lui mandait ceci : « Mon cher Louis, je me dépêche de t'écrire pour mettre la lettre à Laugère en allant au marché. Francine a accouché, hier au soir, de deux jumeaux. Ça ne s'est pas trop mal passé, mais elle a beaucoup souffert. Rémy était allé chercher le Dr Rupied, d'Ainay, vu que M. Berland est parti comme de juste à la guerre. Ici, on est tous en bonne santé. Ils ont fini de rentrer l'avoine samedi soir. Ça s'est bien trouvé parce qu'il y a eu de la grêle dans la nuit. Rémy me charge de te dire qu'ils ont curé les deux grands fossés du pré Chaput. Les gamins te réclament tout le temps, surtout le Lucien. Le fils Paccart a été tué à la guerre. Francine t'embrasse bien fort, et moi pareillement, en espérant que tu ne tarderas guère à revenir... »

Jean-Louis serra précieusement la lettre dans sa poche intérieure et alla conter la nouvelle aux autres gas du pays.

– Ah! bien, mon vieux, t'en as de la veine, lui dit son sergent, un nommé Roux, de Bruère.

HISTOIRE DE CINQ-ENFANTS

Te voilà père de cinq enfants, tu resteras à l'arrière, pour sûr!

Cela se passait le 23 août. La nuit du 23 au 24, Jean-Louis dormit sur les deux oreilles. Il songeait à demander une permission dès le lendemain et même, il se voyait déjà démobilisé.

– Je serai rentré aux Odonnais pour la batteuse, pensait-il.

*

Mais, dans la nuit, le régiment reçut l'ordre de se diriger immédiatement sur Paris. Réveil à trois heures du matin. Sac au dos et en avant. Jean-Louis suivit le mouvement sans bien se rendre compte. C'était un bon soldat.

A la gare, tout de même, son front se rembrunit. Il pensa aux cinq petits, aux deux derniers surtout qu'il ne connaissait pas.

Un commandant était là, sur le quai, qui faisait hâter l'embarquement.

– Allons! Pressons, pressons!

Jean-Louis secoua sa timidité et vint se planter devant lui, tellement préoccupé qu'il enleva son képi au lieu de faire le salut militaire.

– Mon commandant, voilà, j'ai cinq enfants, alors, je voudrais une permission... je ne dois pas partir, n'est-ce pas?

Le commandant se retourna :

– Sacré carotteur! A-t-on idée d'un clampin pareil! Ça ne me regarde pas... Et puis il fallait faire votre déclaration en arrivant au régiment.

– Mon commandant, je ne pouvais pas...

– Ah! vous ne pouviez pas? Bien curieux, mon garçon!

Jean-Louis était décontenancé. Il roulait maladroitement son képi dans ses mains. Il reprit d'une voix mal assurée :

– Mon commandant, j'ai cinq enfants!

– Que voulez-vous que j'y fasse? Rentrez dans le rang, bon Dieu! On devrait déjà être parti.

Desbreures monta dans le train sans penser à rien. C'était trop beau aussi, son rêve de cette nuit, cette histoire impossible de rentrer aux Odonnais pour la batteuse. Les autres mangeaient ou plaisantaient, serrés dans le wagon (chevaux en long – 8, hommes – 35). Lui, il passa son temps à rouler des cigarettes.

A cinq heures du soir, le 144 était à Juvisy. Le train s'arrêta. Le régiment changea de voitures.

– Pourquoi diable nous font-ils changer? se demanda Jean-Louis qui était déjà venu à Paris dans le temps.

Puis, comme il ne trouvait pas de réponse, il continua à regarder défiler les stations de la grande banlieue. On devina Paris au nord, puis à l'ouest, puis au sud. Le soir tombait, et une immense rougeur dans le ciel signalait la capitale.

– Bon Dieu, lança Desbreures, en se dressant brusquement, où allons-nous? Pas à Paris, pour sûr!

Il était tout pâle.

– On va au front, probable, répondit le sergent.

– Au front? mais j'ai cinq enfants...

– Ah! là! là! t'en aurais dix que ça serait le même prix. Il fallait t'y prendre plus tôt... Et puis, ça leur est bien égal!

Les autres ricanaient.

– Allons, c'est bon! trancha le sergent. Tu t'arrangeras à l'arrivée. Ici, tu comprends, on n'y peut rien. Autant vaudrait cracher en l'air!...

Jean-Louis retomba dans son mutisme, vaguement inquiet. Quelque chose comme de l'instinct lui prédisait que rien ne sortirait de bon d'une aventure aussi embrouillée.

Encore un changement de train vers les neuf heures du soir, et le 144 roula lentement dans la direction des champs de bataille. Il y eut de longs arrêts dans des gares inconnues, à peine éclairées, perdues dans des campagnes abandonnées.

Au petit jour, le train s'arrêta. De grandes plaines où les blés avaient été coupés à la hâte. Jean-Louis pensa à sa moisson à lui. Si seulement il pouvait rentrer aux Odonnais pour la batteuse!

Les soldats formèrent les faisceaux sur le bord de la route. On ouvrit les vivres de réserve. La matinée était froide et le soleil hésitait à se montrer, simple reflet verdâtre à l'horizon. Soudain, un bruit de galop. Un lieutenant de hussards parut :

– C'est bien le 144? Où est le colonel?

– Dans la salle de la gare.

Le lieutenant repartit. Une demi-heure s'écoula. Au loin, le bruit du canon grondait et se rapprochait, menace lourde comme celle de l'épervier hésitant au-dessus de la basse-cour.

Ordres brefs. On reprit sa charge et en avant. Certains chantaient des refrains guerriers. D'autres affectaient des airs de bravade pour se donner du courage.

Desbreures était atterré.

– Ce coup-là, ça y est! pensa-t-il.

Et il songeait aux deux petits qu'il ne connaissait même pas.

– Dites voir, sergent, s'écria-t-il, il n'y aurait pas moyen de faire dire au capitaine que...

– T'as cinq enfants? Ah! c'est bien le moment!

Des cris s'élevèrent çà et là.

– Eh! lâcheur!

– Va donc! trouillard!

– C'est malheureux de voir ça!

Desbreures rougit et continua de marcher.

Le lendemain, le 144 entra en bataille. On

avança, on recula encore. Après trois jours de combat, on se retrouva au point de départ, mais beaucoup manquaient à l'appel. Enfin Jean-Louis était toujours là. Il n'en revenait pas d'avoir vu ça et d'en être sorti vivant. Surtout, il aurait bien voulu repartir chez lui.

— Mon capitaine?

— Quoi?

— Voilà, j'ai cinq enfants, alors...

— On descend au repos, Desbreures, vous arrangerez cela là-bas.

Des troupes fraîches montèrent relever le 144 qui descendit un peu à l'arrière. Il campa dans un petit village sur la route de Vauxchamps à Montmirail. Il y avait des morts épars dans les blés et les jardins, mais nul n'y faisait plus attention.

Desbreures fut bientôt célèbre dans tout le bataillon. On l'avait surnommé Cinq-enfants. C'est que son idée le poursuivait : il voulait rentrer aux Odonnais pour la batteuse.

Le lendemain de son arrivée au repos, il s'inquiéta déjà. Il voulait parler au capitaine. Le bruit du canon accélérait encore sa hâte. Ce n'était pas qu'il fût lâche : pendant la bataille, on l'avait vu faire de grandes choses simplement; mais c'était un héros sage, pareil à tous les rudes de la terre.

Le capitaine ne comprit pas tout cela.

— A peine au repos, vous revenez me bassiner! Attendez, mon ami. Vous avez bien le temps de faire régulariser votre situation. Évidemment, vous avez droit à une place dans les services d'arrière : mais un peu de patience, sacrebleu! Ma parole! on croirait que vous avez le feu à vos trousses; il est par-devant, mon bon!

Et le capitaine sourit, heureux de ce trait d'esprit.

Le 29 août, après-midi, la chaleur était accablante. Jean-Louis sommeillait à l'ombre maigre d'un pommier. Le village, complètement déserté par ses habitants, était mort. On n'entendait d'autre bruit que la voix du canon portée par le vent. Sous un autre pommier, dans le même verger, trois hommes du 144 organisaient une manille.

– Hé! Cinq-enfants, tu fais le quatrième?

Il se leva et s'approcha d'eux, lentement. Ils s'assirent en rond et déplièrent un mouchoir au milieu de leur cercle pour jeter les cartes.

Ils jouèrent jusqu'au soir. Par moments, soucieux, Jean-Louis prêtait l'oreille et disait :

– Vous ne trouvez pas que ça se rapproche?

Les autres le plaisantaient, mais par habitude et du bout des lèvres, parce qu'il leur semblait bien à eux aussi que le grondement du canon montait comme un orage.

Tout à coup, sur les six heures, une sonnerie de clairon éclata, brève et sèche, comme un appel angoissé. C'était le rassemblement.

— Voyez-vous, fit Jean-Louis en se levant, je vous le disais bien. Ah! il est propre, leur repos! Il va faire bon ici dans un petit moment!

On rangea les cartes. Il partit le premier, car c'était un bon soldat et il ne voulait pas arriver en retard au rassemblement. Un obus frôla le toit de la maison derrière laquelle ils se trouvaient tous les quatre. Les tuiles dégringolèrent une à une, et elles se brisaient par terre avec un bruit sec.

Desbreures arriva à la barrière du verger. Il n'avait pas eu le temps de l'ouvrir qu'un second obus tomba sur la maison. Un pan de mur en croulant l'écrasa.

C'était un beau soir paisible, pareil aux autres soirs. Mais il y avait quelque part, dans une ferme lointaine, une jeune femme un peu triste et inquiète, qui épluchait des légumes à côté d'un berceau : les volets de la salle étaient à moitié fermés à cause de la chaleur.

Et elle ne savait pas qu'elle était veuve.

DEUXIÈME PARTIE

LE FROMENT DANS LA BOUCHURE

C'EST la mélodie de ces petits chemins qui montent au long des champs, entre les barrières mal accotées des enclos, et mènent aux vieux domaines de chez nous. Ce n'est qu'une ornière et un talus, une aronde et des pieds de balai, avec, parfois, un maigre troupeau qui broute. C'est comme le sillage morne et banal de notre vie, parmi tant de rivages entrevus sous des ciels variés de météores, où nous n'avons jamais pu fixer notre existence. Il y a là, dans les hautes herbes, des compagnies de sauvageons, la rose simple des églantiers à la porte des jardins, les merisiers auprès du mur écroulé des vignobles et, devant la grille à jamais fermée des maisons de campagne, la longue tige des œillets montés en graine.

Ce sont comme des parents pauvres, nés au hasard des choses, grandis hors de leur sol et exclus sans pitié. Ce sont comme ces enfants dont la naissance est la rançon d'un caprice imprévoyant, que personne n'a désirés et dont personne n'a aménagé la vie. Ce sont comme des cousines peu fortunées qui ont vieilli en province, dont le chapeau est démodé, les yeux bleus et le cœur environné de souvenances.

Rien n'est digne de pitié comme le froment lorsque par la mégarde du semeur, il a été exilé sur le chemin ou dans la haie. Épis semés sans intention, seuls devant l'ouragan. Ils sont demeurés verts longtemps comme si quelque espoir immense les eût animés, et les derniers soleils les ont desséchés. Ils étaient de bonne sorte, et ils ont vécu parmi les herbes folles. Ils ont cherché le sillon et n'ont pu l'atteindre. Ils sont restés méconnus des passants, de ceux qui s'imaginent que la grandeur noble des midis vient du silence des blés immobiles et non de la détresse humblement consentie par chaque épi surchargé.

Le froment dans la bouchure, c'étaient ces belles figures d'habitants de campagne dont les mains étaient des mains de laboureurs et qui n'avaient pas de terre à eux. Toute leur vie a été un désir et un regret. Ils étaient nombreux dans la petite ville. C'était ce coiffeur qui soignait son jardin avec amour et suivait anxieusement les cours de foires où il n'aurait jamais rien à vendre. C'était cette vieille qui habitait dans une maison basse louée au bord de la route, devant le pont de l'étendoir. Elle gardait ses moutons noirs et ses deux bourriques dans les petits chemins des vignes, vers la Chaume aux lièvres, en contemplant avec regret, par-dessus la barrière, les grands herbages interdits. C'était cette fille de noblesse ruinée qui avait tout fait pour conserver la propriété de sa famille et qui pleurait en quittant le vieux domaine au lendemain de la vente, la maison d'ardoises et le salon aux mille reflets de son enfance. C'était cette ancienne servante qui allait glaner au long des beaux dimanches, qui ramassait dans le verger les angéliques sous la neige des cerisiers, qui aimait tant ses lapins jaunes aux oreilles pendantes. C'était surtout le braconnier.

★

Nous l'avons toujours connu vieux, pareil à ce château perdu dans les bois de Meillant, dont les gardes et les bûcherons disaient :

– C'est de l'ancien temps, ça!

C'était une silhouette sauvage et rude, une tête osseuse surmontée d'un chignon de cheveux jaunâtres, un grand corps de disgrâce qui s'en allait par les routes, avec un chien maigre et un fusil préhistorique. On l'appelait Tamant. Était-ce son nom véritable ou un sobriquet? On ignorait tout de ses origines. On ne lui savait guère qu'une seule parente mariée à un riche propriétaire dont la maison Louis-Philippe, badigeonnée de plâtre rose, se trouvait sous les ormes de la place, avec des géraniums sur le

77

perron et des pintades dans la cour. La dispro-
portion navrante entre la situation de Tamant
et celle de sa cousine était un des scandales
dont on parlait volontiers dans les salons désœuvrés de la petite ville. C'étaient des affaires
de famille, histoires de mésalliances et de for-
tunes gaspillées, que l'on contait tout bas, à
l'heure où l'on ferme du dehors les lourds volets
des maisons bourgeoises, où l'on s'attarde
auprès des comptoirs dans les boutiques déser-
tées l'une après l'autre.

Tamant habitait auprès du clocher, à la
porte du cimetière, dans un coin ombragé par
l'abside de l'église, une masure enfumée dont le
mur s'appuyait aux anciens remparts; un loyer
de trois francs par mois.

Dans cette maison de deux pièces, le braconnier, depuis un temps immémorial, occupait
la chambre de droite. Celle de gauche était
habitée par une vieille nommée Céline Bélot :
elle était folle et sa bouche tordue prononçait
des paroles sans suite, tandis qu'elle allait
mendier son pain de porte en porte. Elle jardi-
nait sur les tombes et portait le bol d'eau bénite
aux enterrements. On ne lui connaissait pas
plus d'état civil qu'à son voisin, mais au temps
de sa jeunesse, la supérieure du couvent lui
avait dit un jour de fête :

– Te voilà élégante comme Mme la
duchesse de Montebello!

Et le nom, transformé en Bélot, était resté

accroché aux épaules anguleuses de la Céline. Tous les ans, lors de la Saint-Martin, quand sont échus les baux en nos pays, Mme Giraud, la cousine de Tamant, allait avec un sourire pincé sous son ombrelle de soie bleue acquitter à la mairie le loyer du braconnier. Tamant était contrebandier dans un pays sans frontières avec des campagnes sans sierras et d'humbles sommets sans douaniers. Il était le braconnier qui épie la même loutre pendant neuf ans et rapporte des écrevisses dans son chapeau. Son trafic d'ailleurs était connu et tacitement admis. Le métier du vieil homme des bois était de ceux qu'on critique sans en souhaiter la suppression. Tout le monde connaissait ce grand mannequin osseux, vêtu, les dimanches comme les jours sur semaine, d'un costume de velours dont les boutons représentaient des cerfs et des sangliers, à la manière des gardes-chasse, et semblaient le désigner comme le protecteur du vaste pays vacant. Comme la route de platanes qui mène à la sous-préfecture, sa vie courait toute droite, avec la seule passion du sol et de ses peines victorieuses. Son amour pour la terre, n'ayant jamais eu d'enclos auquel se limiter, était demeuré comme une vaste aspiration pacifique; il avait exploré le pays avec la patience grave du métayer qui connaît ses prés et ses champs pour en avoir foulé, pas à pas, les moindres mottes, au long des jours de fenaison et de labourage :

pas un sillon qui ne fût sa terre, pas un paysage où il ne retrouvât l'écho de sa pensée et la réponse au monologue de son âme captive; c'était comme ces tantes provinciales qui n'ont jamais eu d'enfant et s'attachent à tous les enfants qu'elles rencontrent, les mènent choisir un jouet au bazar après la partie de dominos dans le salon fermé.

Il ne souffrait pas d'être seul, parce qu'il l'avait toujours été et qu'il savait peupler sa solitude de modestes compagnies. (Tous, nous avons ainsi vécu nos années montantes comme au charme d'un perpétuel tournant. Nos beaux tournants, ce sont ces souvenirs qui délimitent la souffrance de nos époques. Douceur grise des jours de neige ou des vendredis saints au ciel noir. Coudoiements sur la route. Regards fermés de ceux qui ne sont plus.)

Pour lui, ayant vécu seul, il comptait ses années d'après la fraternité brève et totale de ses pauvres chiens. Comme l'histoire d'une nation sans accident et sans grands hommes, sa vie s'était écoulée dans la sombre masure à la grille du cimetière : pages noires et blanches marquées de modestes museaux lassés, évanouis dans la faillite des choses. Profils de tranquille simplicité; le gros chien pommelé égaré un soir dans la prairie, et le basset qui rôdait dans les ruisseaux à la recherche d'une croûte improbable, et les petits si espiègles et maraudeurs qui sautaient par-dessus les ornières, qui chassaient les sauterelles au temps des foins; et la pauvre chienne écrasée à Cérilly, un jour de foire... Lignes de figures longues et minces, aux langues toujours pendantes, aux yeux mi-clos pleins d'ennui et de sommes. Après bien des jours, seul survivait le souvenir de deux oreilles pointées au moindre bruit; mais aussi demeurait cette imprécisable réalité, qu'ils avaient contribué à tracer la route du braconnier. Souvent, il revoyait pendant le défilé mortuaire des heures dans son cœur de sauvage, le soir de neige où la chienne grise l'avait subitement quitté; il l'avait sifflée longtemps dans les vignobles, mais jamais plus il ne l'avait revue. Et comment oublier les jours où il l'avait cherchée partout, par les fermes lointaines, jusqu'à la maison du garde, isolée entre ses ruches, au bord d'un étang pâle...

Ainsi, à la suite d'un petit souvenir, pareil à la perche qu'on tend à un homme qui va se noyer, tout le passé remontait, léger par les heures de joie comme la charrette aux roues rouges du juge de paix en tournée; pesant par les jours d'ennui comme une voiture à bestiaux embourbée dans un mauvais chemin de fondrières. Et tout cela finissait par se confondre dans l'esprit du bonhomme, lorsqu'il songeait après une chasse malheureuse devant le pauvre feu de la bicoque, près de son chien transi qui se léchait.

C'est que le temps, comme la limite des

lieux, était à charge pour Tamant. Il lui fallait de l'espace, la vie plantureuse des vendanges et des moissons, l'immensité des campagnes juxtaposées. Il connaissait la figure et l'expression des paysages, leur physionomie parlante et douce comme un amical regard. Au long des chènevières, si vertes en floréal, il trouvait des yeux indéfiniment tendres, des bras aux chaudes caresses. A la lisière des prés du domaine, il découvrait une pensée triste comme les lettres qu'on reçoit d'un ami exilé; les locatures endormies à mi-côte, entre leur fagotier et leur ségère, semblaient des voyageurs arrivés là depuis longtemps et assoupis auprès de leur modeste bagage. La couleur brune des toits de domaines, le jaune noirci des paillers, paraissaient comme à la suite d'une érosion mystérieuse s'être accommodés à la tonalité générale de l'horizon, de même que les auvents fatigués des granges et les fenêtres basses des maisons s'étaient peu à peu simplifiés en leur lassitude pour s'adapter à la bonhomie du paysage.

Tamant trouvait sa joie dans la vie. Que de fois il avait remarqué la médiocrité de ceux qui bâtissent des clôtures et plantent des haies, comme pour dire : cela nous suffira! – Murs sitôt lézardés; sitôt ensevelis sous les fougères! Pauvres bouchures sitôt devenues de spacieux bocages! Limiter sur le sol, vouloir retenir de l'eau entre ses doigts, vouloir arrêter le vent d'automne qui fougale tout.

LE FROMENT DANS LA BOUCHURE

L'hiver, quand sur la grande route gelée, il poursuivait la silhouette des corbeaux, quand il suivait la trace des renards au long des haies dépouillées ou le sentier des fouines sur le vaste océan des neiges...

L'été lorsque parmi le silence époumoné des froments lourds, seul au milieu de la campagne surpeuplée, il tendait l'oreille et saisissait le bourdonnement d'une batteuse lointaine...

Alors il se laissait aller à un mirage curieux. Comme en ces beaux après-midi radieux où l'on se demande si ce sont les nuées qui voyagent au-dessus d'un monde fixe, ou bien nos toits qui sont nomades, il aurait voulu savoir si sa vie restait isolée dans l'univers engourdi, ou bien si la vie du paysage accablait ses épaules.

Que de fois, on l'a vue, la tête Tamant avec son chignon blanchi, sortir d'un buisson où il venait de tendre ses collets impitoyablement précis! Que de fois encore, à l'époque où les martins-pêcheurs ont coutume de hanter nos roseaux, il a veillé parmi les quenouilles effilochées bruissantes de libellules. Au bord de l'étang où tout autre eût rêvé d'embarquement sans équipage pour des rives charmantes, il restait le cœur battant : il guettait la loutre dont on parlait dans tout le voisinage et dont il connaissait seul la trace capricieuse.

Chaque saison apportait, à côté des moissons légitimes, le butin scabreux qui est la revanche perpétuelle des exclus. Il connaissait les cormes et les airelles; et toutes les sortes de champignons; les muguets et la violette et le repaire des écrevisses et le gîte des lapereaux. Toutes ces choses délicates finissaient dans la salle des bourgeois de village où il les apportait à la nuit faite : il ôtait ses sabots sur le seuil et son front découvert était éclairé par la rougeur des grands feux, tandis qu'il attendait la permission d'entrer, tout ensemble fier et interdit.

Braconnier ordinaire? Il fallait le voir explorer la campagne avec respect, examiner la lente poussée des sèves, traverser les guérets en passant dans les roies pour ne pas faire dommage aux moissons, parcourir les vignes rouges en relevant les paissiaux abattus par le vent. Il coupait l'échardon dans les prés et le gui sur les chênes. Il détruisait les limaces et les vers blancs, les longues chevrolles dans les champs de pommes de terre : toute cette population ennemie le rongeait au cœur.

Jamais il n'avait sauté une haie ou une muraille d'enclos. Il passait aux échalliers ou bien il ouvrait la barrière et la refermait posément, comme quelqu'un qui rentre dans son héritage.

Il rampait dans les fourrés sans bruit, les herbes étaient à peine couchées sur son passage et les taures blanches, promptes à s'effaroucher, ne s'échappaient jamais des prairies qu'il avait traversées. Il possédait en sa tête l'état actuel de tous les vergers et il veillait sur les sillons. Et personne ne l'a jamais su...

Il arrivait parfois que, lors des repas bruyants que l'on fait au temps des batteuses dans la salle enfumée des domaines, on surprenait le braconnier qui écoutait les refrains de l'autrefois, les yeux pleins de larmes de l'autre côté du barriot fermé ; il était pareil aux timides qui rôdent autour des parquets de danse les jours d'assemblée, sans oser y pénétrer.

On ne savait pas qu'il souffrait d'être né hors du guéret et d'éprouver pour la terre un vaste amour méconnu.

*

Telle fut, sans autre événement, la vie du braconnier. Chaque matin, il partait avec l'assurance de celui qui a une tâche pressée et sait où il va. Les voisins riaient à voir ses grands pas souples dans les rues du village qui s'éveillait à peine. Chaque soir, il revenait à son taudis où il y avait dans un coin son grabat sur de vieilles ferrailles et, lamentablement suspendues au plafond, les laisses de ses chiens défunts.

Mélancolie de ces soirées! De l'autre côté de la cloison, la Céline Bélot répétait indéfiniment ses ritournelles de folie, et l'homme sommeillait à demi avec la présence en lui de tous ses paysages : les bois illuminés de vers luisants, les jachères encombrées de chardons, les étangs traversés par le cri strident de la poule d'eau parmi la saponaire des marécages. Et dehors, c'était le pays sans maître sous la lune, dont la hutte de Tamant était la cabane de berger immobile.

*

Dans le cimetière, il y a une tombe parmi les tombes les plus délaissées, avec une croix de bois peinte en gris délavé par les averses. C'est là que Tamant a enfin trouvé un coin de terre à lui. Et nous songeons à la soirée de novembre où Mme Giraud, la cousine dédaigneuse, et Céline Bélot ont conduit le bonhomme à son définitif sillon. Les derniers colchiques pourrissaient dans la campagne et nul ne s'était dérangé pour accompagner le vieux, pas même ses deux chiens qui, enfermés dans la masure, hurlèrent à cœur fendre.

Et personne non plus ne s'arrête jamais devant la croix du braconnier, même au jour des Rameaux, même au jour des Défunts...

Céline y a, une fois, semé des grains de blé qui repoussent chaque année en herbes folles. C'est, comme écrit sur la tombe solitaire, le souvenir du chasseur villageois que les ménagères regardaient passer, cachées derrière leurs rideaux, et dont les métayers disaient :

– C'est un propre à rien!

Et c'est là tout le sillage des exclus.

LE FROMENT DANS LA BOUCHURE

Pour nous, nous nous souviendrons encore de cette ombre vivante, si souvent rencontrée à l'affût dans les vignobles; nous nous rappellerons l'homme aux yeux clairs qui semble ne nous avoir quittés que pour revenir bientôt avec sa veste de velours aux larges boutons et son troupeau de chiens exténués, tandis que les épis verdiront encore sur sa tombe, pauvres épis versés et sans attente de moisson...

PASSAGE DE LA FOUDRE

UN pâle petit jour de novembre terminait son agonie du côté de la Tour. Le brouillard montait de toutes parts et remplissait déjà la vallée. Seules, les cheminées de la tuilerie de Saint-Pierre émergeaient encore de la nappe de brumes.

Les deux hommes marchaient, à grandes enjambées clapotantes, dans le pré détrempé par les pluies d'automne. De temps en temps, ils s'arrêtaient, regardaient un fossé, une barrière, puis repartaient.

– On n'y voit plus, dit le vieux. J'aurais voulu te montrer la nouvelle pêcherie du champ Roy... Enfin, ça sera pour demain.

Ils firent quelques pas, puis traversèrent le pré de la Font, avant d'arriver au bois.

– Il y a encore eu une fuite dans la levée de l'étang, reprit le vieux. J'ai pris le père Flouzat et on l'a rebouchée à nous deux.

Et il guettait le visage de son gendre pour voir ce qu'il pensait.

– Ça amènera encore de la rauche au printemps, murmura seulement Jacques Brégeault.

– Maintenant, il y a toujours ces maudits chasseurs qui font des trous dans les bouchures! Comme s'ils ne pouvaient pas passer aux barrières... Cette année, j'ai mis le champ de la Croix en blé... Ah! et puis Flouzat m'a demandé la permission de faire des fagots dans le Corvet...

– Il faut bien que les anciens vivent, dit Jacques.

Cependant, ils étaient arrivés à la corne du bois. Le chemin devant eux s'enfonçait dans les ténèbres, serpentant comme un homme ivre. L'ombre était plus noire et humide sous les arbres, et leurs pas ne faisaient point de bruit sur les feuilles mortes déjà pourrissantes.

Ils arrivèrent au domaine à la brun-nuit. La soupe était prête, ils mangèrent en silence.

Jacques était rentré de la guerre la veille et c'était sa première soirée tranquille. Une belle soirée calme d'ailleurs : comme c'était dimanche, les domestiques étaient descendus faire un tour au bal à Brebeure et dans la grande cuisine aux coins d'ombre, l'horloge à balancier de l'ancien temps semblait le seul être vivant. Il y avait dans leur cœur un contentement obscur, la joie étonnée que fait naître l'arrivée d'un jour attendu depuis si longtemps que sa venue semble soudaine et surprend.

– Je suis tout de même content de te voir ici, Jacques! observa le vieux.

– Ah! malheur! Après tout ce qu'on a vu, ça fait du bien de se retrouver chez soi.

Vers neuf heures, Jacques alluma une lanterne et sortit pour aller voir aux bêtes avant de se coucher. Une sorte de chaleur humide montait des terres molles. La lune se levait au fond d'un ciel chargé de nuages presque immobiles.

Dans l'écurie moite, tout semblait en ordre. Il passa derrière chacune de ses bêtes pour s'assurer qu'elle n'était pas malade.

Les vaches éveillées en sursaut se levaient lourdement, jambes raides, avec un bruit de chaînes.

– De la brave marchandise! pensa Jacques. Le beau-père a bien travaillé. Quand même, c'est un rude pour son âge.

Et sa main s'attardait avec volupté sur le pelage des animaux.

Il revit son départ pour la guerre et le vieux lui disant, comme il était inquiet de partir au milieu des moissons :

– Sois tranquille, Jacques. Le domaine sera en ordre quand tu reviendras!

Un moment, il avait eu l'intention de résilier son bail, vaincu par les circonstances, découragé. Mais son beau-père l'en avait empêché :

– C'est un bon domaine que les Bergeries,

avait-il dit. Il n'y en a pas de meilleur dans tout le pays. Et puis, quand même il ne serait pas si bon, ce n'est pas en changeant de locature qu'on ramasse du bien. Il faut y rester et après toi, ton petit le prendra : il a l'air d'avoir du goût pour le métier.

Jacques avait compris que le vieux raisonnait bien. Et maintenant, voici qu'il revenait et qu'il trouvait un domaine bien entretenu, un cheptel augmenté, les terres prêtes aux semailles. Malgré ce point au côté qui l'avait fait renvoyer dans ses foyers dès la fin des hostilités, et qui le tourmentait par instants jusqu'à le faire crier, il se sentait plein de forces et de courage. Pour la première fois depuis quatre ans, il songeait au lendemain avec un autre sentiment qu'une terreur résignée.

Il revint à la maison. Sa femme, la Solange, l'attendait dans la lumière douce du seuil. Les beaux-parents étaient déjà partis dormir.

– Ça va, fit Jacques en soufflant la lanterne. Ton père m'a tout fait voir aujourd'hui. Ça marchera, pour sûr.

Il ferma la porte et ils restèrent un moment à causer.

– Ah! tu peux dire qu'il a peiné! Il me l'a raconté souvent, si ça n'avait pas été pour le gamin, il ne l'aurait peut-être pas fait. A son âge...

– C'est vrai que le voilà dans ses soixante-douze ans.

– Heureusement que tu es revenu! Si tu
savais comme j'ai été tourmentée, des fois...
– Oui, oui, fit Jacques. Mais tout cela, c'est
loin déjà.

Bien souvent, lorsqu'il était sur le front, il
avait songé au domaine lointain où peinaient
les femmes et les vieillards; bien souvent aussi,
il avait imaginé le jour qu'il reviendrait chez lui,
et il s'émerveillait en lui-même de le trouver si
conforme à ses désirs et à ses rêves...

★

Les premiers jours cependant, il semblait à
Jacques qu'il était en permission et qu'il allait
repartir bientôt. Mais peu à peu, il reprit ses
habitudes; il put entendre le train de 4 heures
siffler à Laugère sans songer que c'est ce train-
là qu'il faut prendre pour avoir, à Bourges, la
correspondance de Paris. Les mauvais souvenirs s'effacent aussi vite qu'un fossé mal entretenu. Et il n'avait aucune raison de les entretenir. Les quatre années de guerre lui laissaient
un sentiment obscur où se mêlaient la joie d'en
être sorti et une espèce de contentement pour
avoir vu tout ça. Mais il s'efforçait d'oublier et
ne parlait pas volontiers de ses aventures. A la
veillée, quelquefois, en faisant des paniers
d'osier, lorsque la conversation tombait sur les
années maudites, il parlait, les yeux lointains,
de Marseille, une grande belle ville avec le fort

Saint-Jean, auprès de la mer, où les soldats
attendaient le départ, – de Salonique où les
gens mangent des fruits verts et où la fièvre
vous rend malade, – et du front, où à certains
jours, dans la montagne, les canons ronflaient
comme un cent d'aspics enragés.

– Ah! malheur! concluait-il simplement.
Et les autres écoutaient, même après qu'il
avait fini de parler, attentifs à imaginer ces
terres étrangères.

Parfois, le vieux qui somnolait au coin de la
cheminée sortait brusquement de son demi-rêve
et disait :

– Aut'fois, quand on servait sept ans sous
les empereurs, j'ai connu un Desternes, de
Vesdun, qui avait fait la guerre dans les Mexi-
ques. Ah! dame, ça remonte loin! Il y a eu bien
du changement depuis, mais le monde est resté
mauvais tout pareillement!

La soirée s'écoulait ainsi, avec moins de
paroles que de silence. Puis Jacques allumait un
falot et reconduisait jusqu'à la barrière les
Chezeau, des Genêts, venus passer la veillée aux
Bergeries. En levant sa lanterne, à bout de bras,
pour les mieux éclairer, il les regardait s'éloigner dans le chemin plein de flaques où gémissait le vent d'hiver.

★

Ces premiers mois de la paix retrouvée, qui

renouaient d'un seul coup la chaîne avec les heureux temps d'autrefois, les surprenaient tous également. Souvent, ils songeaient : il y a un an, j'étais ici ou là, je faisais ceci ou cela. Et toute cette époque lourde d'inquiétudes leur paraissait un rêve.

Jacques aurait été tout à fait heureux s'il n'avait trop souvent senti sa douleur au côté comme une menace sourde qui l'effrayait. Il vit le médecin, il alla même à Bourges consulter un chirurgien : tous le rassurèrent, lui trouvèrent de l'entérite chronique et lui ordonnèrent un régime de laitages et de pâtes.

– Que veux-tu! Faut bien durer! lui disait le vieux lorsqu'il se plaignait.

Et il ajoutait :

– Il faut qu'il y ait toujours quelque chose pour mal marcher. Ça serait trop beau sans ça!

Alors Jacques se résignait, en se disant qu'après tout, il en avait vu bien d'autres sur le front. Il prenait son mal en patience, parce que le temps n'était pas trop humide, que les bêtes se vendaient facilement et que l'année promettait bien.

★

L'hiver passa sans hâte, et brusquement, ce fut le printemps. L'herbe se mit à pousser drue dans les prés.

— Le moment de la prime, c'est le plus gentil de l'année, disait le vieux.

L'approche des beaux jours les encourageait au travail. Ils se mirent à défricher la corne de l'Acheneau, un morceau de champ resté inculte, couvert de ronces et encombré de vieilles souches, pour y mettre des légumes. Ce fut un rude travail. Les hommes et les bœufs s'y fatiguèrent, et le soir, ils n'étaient pas mécontents de reprendre le chemin du domaine. Ils ne finirent le plus gros de leur tâche qu'au début de mai, lorsque les premiers muguets commencèrent à fleurir dans la forêt de Meillant.

★

Les rares permissions de Jacques avaient été des permissions agricoles, pour les foins ou la moisson. Aussi, depuis le début de la guerre, il n'avait pas eu l'occasion d'aller cueillir le muguet au bois, suivant l'usage, le premier dimanche de mai.

Cette fois, pendant qu'ils erraient dans les taillis, il se rappela avec une précision qui l'étonna ce même dimanche de 1914. Par cette journée lointaine, ils étaient allés au bois avec la Solange et d'autres filles. Il y avait avec eux Desbreures, des Odonnais, le grand Michard, de la Chènevière, Claude Chezeau, des Genêts, et son frère Henri. Des cinq, lui seul était revenu de la guerre...

Plus il allait, plus ses vieux souvenirs remontaient, bien qu'il fît tout pour les écarter : là, ils s'étaient assis pour faire quatre heures; là, ils avaient aperçu un petit chevreuil qui broutait dans la clairière : à l'approche des hommes, il avait humé le vent et détalé à travers les ronces avec un bruit de branches froissées. Là, encore, ils s'étaient reposés un instant et, tandis que les autres s'assoupissaient vaguement, Claude Chezeau, soudain grave, lui avait dit en regardant la Solange et hochant la tête :

— Tu as de la chance, Jacques, tu as de la chance, toi!...

Prévoyait-il donc son sort et que, cinq mois plus tard, il tomberait dans les blés mûrs, du côté de Château-Thierry?

(Oh! ce nécrologe entendu à la grand-messe des Rameaux : « Prions, mes bien chers frères, pour nos seigneurs les archevêques de Bourges défunts, pour les curés de la paroisse défunts, et pour tous les défunts de la paroisse, particulièrement pour ceux dont les noms suivent... »

Et soudain, au milieu de l'interminable monotone litanie où il y avait des noms dont les anciens seuls se souvenaient, surgissait le troupeau pressé des victimes récentes, des camarades d'écoles ou de catéchisme disparus en pleine jeunesse : « Louis Desbreures, militaire; Marcel Sauvage, militaire; Claude Chezeau,

militaire; Henri Chezeau, militaire; Louis Le-
cœur, militaire; Joseph Michard, militaire...» Ces quatre ans de guerre jalonnés par tant de croix, cela s'étendait comme une route dont on ne voit pas la fin : on y marche sans penser à rien, écrasé par le soleil et la poussière, entre les blanches bornes où les indications s'effacent.)

Ils rentrèrent au soir tombant, las de s'être reposés, à l'heure où le jour hésite à mourir. Des ombres les accompagnaient et lorsqu'ils débou-chèrent dans la cour du domaine, ils entendi-rent la cloche de Brebeure qui sonnait le mois de Marie.

★

Le lendemain, Jacques, en se levant, sentit une aiguë douleur au côté. Mais il y était habitué et n'y fit pas autrement attention. Il s'assit un moment sur une chaise.

– Je me sens las, fit-il avec un soupir.

– Tu devrais te reposer aujourd'hui, dit la Solange, il va encore tomber de l'eau.

– Il faudrait pourtant finir de labourer l'Acheneau. Je voudrais me mettre à semer les betteraves demain. C'est temps maintenant.

Au bout de quelques minutes, il se leva :

– Ça passe, dit-il simplement.

Et il sortit.

Dans la cour, le vieux mettait le joug sur le front des bœufs.

– Ça sera-t-il encore de l'eau pour aujourd'hui, à votre idée? interrogea Jacques.

Le père Pierre regarda l'horizon où un jour sale naissait, écrasé par des nuages gris.

– Si le vent se maintient, dit-il lentement, on peut avoir beau temps jusqu'à midi.

Quand le domestique fut arrivé de Brebeure, où il restait, ils mangèrent la soupe et partirent travailler.

Toute la matinée, ils peinèrent en silence. Jacques labourait, pâle, les dents serrées; le petit Gabriel touchait les bœufs; devant eux, les deux autres ramassaient les souches et les mettaient par tas pour laisser libre passage à la charrue. Un soleil triste essayait en vain de se montrer au ciel couvert, et quelques petits oiseaux piaillaient à la lisière du bois.

Soudain, au moment où l'attelage revenait vers la barrière pour virer, Jacques s'abattit entre les mancherons de la charrue, en criant :

– Arrête les bœufs, gas, arrête!

Il y eut un bruit de chaînes et les bœufs, la tête baissée, les yeux clignotant sous la touchoire, s'arrêtèrent.

Jacques gémissait sourdement, sans bouger. Affolé, Gabriel appela. Les autres levèrent la tête, sans comprendre. Comme le petit criait :

– Dépêchez-vous! ils se hâtèrent.

– Eh bien, Jacques, voyons, ça ne va pas? dit le vieux.

Mais sa voix révélait, derrière ces simples mots, son angoisse.

Alors, ils relevèrent Brégeault et le couchèrent sur le bord du fossé.

– Écoutez vous autres deux, reprit le père Pierre brusquement. Toi, Cornebrand, tu vas aller au domaine, tu attelleras la grise à la carriole et puis tu reviendras. Toi, Gabriel, tu prendras ta bicyclette et tu iras chercher le docteur. Et faut vous dépêcher.

Ils partirent à grands pas, à travers les guérets, et le vieux resta seul avec son gendre sous le ciel énigmatique.

★

Jacques mourut au soir tombant, sans avoir repris connaissance. Le médecin était venu sur les trois heures, ruisselant de pluie, bougonnant contre les mauvais chemins. Il avait secoué la tête, parlé d'un abcès à l'estomac, en disant qu'il ne pouvait rien faire...

Ils étaient là, sans lumière, autour du mort, désemparés. Les deux femmes pleuraient à gros sanglots. Le bouquet de muguet qu'ils avaient fait la veille était resté sur la table, comme la charrue abandonnée qui se rouillait dans le chaume.

★

L'enterrement eut lieu le mercredi dans la journée. On descendit le corps sur le char à bœufs jusqu'à l'entrée de Brebeure. Comme le père Chezeau, des Genêts, était venu garder la maison, tous les gens du domaine purent suivre le mort. Lorsque le cortège arriva à l'église, celle-ci était déjà pleine. Des vieilles femmes causaient à grand bruit sur la place.

– Hé! là, mon bon Dieu!

– A cause donc que le pauvre monde est si malheureux?

– C'est triste quand même de voir des affaires pareilles!

Une mort aussi subite attire toujours de vagues sympathies, et puis Brégeault était estimé dans la petite ville.

– Un bon garçon, toujours prêt à rendre service.

– Et penser qu'il avait fait la guerre sans une blessure!

– Quand ça doit vous prendre, ça vous prend, quoi!

Pendant la cérémonie, le curé fit une petite allocution à l'éloge du mort; puis il parla de la nécessité pour le bon chrétien de se tenir prêt à chaque instant.

Tous les rudes qui remplissaient la nef

103

l'écoutaient avec attention, les bras croisés, le front plissé, comme on écoute un notaire. Ils n'étaient guère croyants et n'entraient à l'église que le dimanche des Rameaux et le jour des Morts. Mais cela leur rappelait le temps où trois fois par semaine, ils venaient dans cette même église réciter leur catéchisme. Ils y retrouvaient leur jeunesse et ils étaient heureux de la retrouver, en face de cette mort surtout qui les effrayait.

Après le cimetière, la plupart entrèrent au café – à l'hôtel du Bœuf, ou chez Pigeat, à l'Étoile – parce que ça ne méritait plus de retourner au travail. Ils étaient d'abord silencieux, vaguement gênés, mais l'un disait :

– Il a bien parlé, le curé.

Ou encore :

– Pauvre vieux Pierre; ça va être un coup pour lui!

Alors les langues se déliaient, et ils finissaient par causer de choses et d'autres ou traiter des affaires au milieu du fracas des verres et des bouteilles.

Pour ceux du domaine, ils remontèrent aux Bergeries en voiture. Tandis que la Solange pleurait doucement à la maison, le vieux erra à petits pas dans le jardin, gêné par ses habits du dimanche, le cœur chaviré. C'était un beau soir de mai, avec des rayons mourant sur les feuilles pâles.

A la nuitée, comme Chezeau et Cornebrand

pansaient les bêtes, il rentra s'asseoir devant la cheminée. Il y avait en lui cette grande indifférence des soirs de labour qui est lassitude et éreintement, lorsque, les yeux vagues et les coudes aux genoux, on attend en bâillant que la soupe soit trempée.

★

Le lendemain, il fallut bien se remettre au travail. Le père Pierre reprit la direction du domaine; mais il se sentait vieilli, incapable de travailler comme jadis. Il allait aux champs avec Gabriel et Cornebrand, comme pendant la guerre, mais maintenant c'était Cornebrand qui labourait. Durant les longues heures qu'il traînait au milieu des guérets à démarier les betteraves ou à piocher, il remuait dans sa tête tout ce qui venait de se passer, et les jours lui semblaient interminables.

Le soir, il revenait fatigué au domaine. Il y avait des violettes au bord du chemin plein d'ornières. Devant lui, Cornebrand, le paletot de velours sur l'épaule, marchait avec insouciance. Des rayons dorés s'accrochaient aux branches. Le soleil était comme un homme qui se noie et le soir aussi calme que le cœur d'une vieille servante.

A la fin de juin, ils se mirent à couper les foins. Comme les ouvriers étaient rares et demandaient trop cher, Solange allait travailler avec les hommes, mais sans enthousiasme. Il ne restait plus au domaine que la vieille Catherine pour faire la soupe et la petite servante pour porter le goûter aux faucheurs dans les prés brûlés crissants de sauterelles.

Cette année-là, le printemps avait été humide et les grandes pluies s'étaient vautrées si sauvagement dans les herbages qu'il était presque partout impossible d'utiliser les faucheuses. Aux Bergeries, comme ailleurs, ils durent reprendre les faux dont les jeunes gens savaient à peine se servir.

Ils en vinrent tout de même à bout et dès le 1er juillet, chaque soir, ils rentraient au domaine deux carrioles de foin bien sec. Ils piquaient leurs fourches à l'arrière et suivaient en silence la charrette dont les roues ne faisaient pas de bruit sur l'herbe des prés où elles traçaient deux sillons d'un vert plus foncé.

Un soir qu'ils revenaient ainsi après une lourde journée, Solange demanda à son père qui marchait à côté d'elle :

– Ça serait tout de même un cas de résiliation?

Le vieux la regarda avec inquiétude : elle avait son front soucieux et obstiné des mauvais jours.

– Sans doute bien, remarqua-t-il. Mais quoi faire?

Elle répliqua :

– On ne peut pas continuer comme ça,

vous le savez aussi bien que moi. Le domaine est trop dur. Prendre un domestique pour tenir la place de Jacques, ça ferait gros d'argent et guère de profit.

— On a bien duré seuls pendant la guerre.

— Ce n'est pas la même chose. Pendant la guerre, on espérait toujours, tandis qu'à présent...

Ils se turent. Mais une grande misère montait en lui à la pensée de tout ce travail accompli durant les années tragiques, tout ce travail qui ne servait à rien puisqu'ils allaient quitter le domaine et que Gabriel était trop jeune pour le reprendre. Il avait beau sentir que sa fille n'avait pas tort au fond, il était triste en songeant au petit.

Ce soir-là, lorsque Gabriel et le domestique furent partis se coucher, Solange reprit :

— La maison de Lucien Moinard à Ainay sera libre pour la Saint-Martin.

— Et le petit? Qu'est-ce que tu en feras?

— Il ira travailler chez son oncle, aux Éveillés.

Alors le vieux comprit qu'elle avait tout prévu depuis longtemps et n'essaya plus de lutter. Il ajouta cependant :

— Et tout l'artillage du domaine, les charrues, la faucheuse? Il faudra le vendre. Plus tard, si Gabriel veut prendre une locature, il serait peut-être heureux de le trouver...

Ils n'en reparlèrent plus autrement.

Mais trois jours après, la veille au soir de la foire de Saint-Amand, le père Pierre dit à sa fille :

— Es-tu toujours dans les mêmes idées, Solange, rapport à la Saint-Martin? Parce que demain j'irai à la foire et j'en profiterai pour passer chez M. Teilleraut.

— Ça vous fait gros cœur de quitter le domaine, je le vois bien, se contenta-t-elle de répondre.

Il soupira :

— Puisqu'on ne peut pas faire autrement!

Le lendemain, il partit au jour : comme il n'emmenait pas de bêtes à la foire et n'avait rien à acheter, il était inutile qu'il se pressât.

Une fois à Saint-Amand, il commença par aller faire un tour sous les platanes du plant de foire. Il marchait lentement, s'arrêtant à chaque pas pour juger un animal ou pour causer avec quelqu'un. Et c'étaient d'interminables parlages, toujours les mêmes, sur le temps, sur l'état des moissons ou le poids des impôts.

— Eh bien, Pierre, ça va-t-il comme vous voulez?

— Et toi, mon Louis?

— A petites fois, je vous remercie.

— Allons, allons, tant mieux.

Puis ils s'offraient une prise avant de se perdre à nouveau dans la foule des blouses bleues.

PASSAGE DE LA FOUDRE

★

Le dimanche d'après, il vit à la quatrième page du *Nouvelliste* cette annonce :

« A affermer par métayage pour la Saint-Martin prochaine, le beau et bon domaine des Bergeries, d'une contenance de 60 hectares 48 ares, situé communes de Brebeure et Saint-Pierre-les Étieux. S'adresser pour traiter à M. Albert Teilleraut, propriétaire, avoué à Saint-Amand, 35 rue Porte-Mutin. »

Et celle-ci :

« Vente à l'amiable, par suite de décès, d'un matériel de culture, comprenant charrues canadiennes, faucheuse, moissonneuse, carrioles, voiture à bœufs, jougs, harnais, le tout en bon état. S'adresser à M. Pierre Bouveron, aux Bergeries, par Brebeure (Cher). »

Après avoir lu et relu plusieurs fois ces annonces qui le surprenaient comme s'il les avait ignorées, le vieux hocha la tête sans rien dire. Mais il avait envie de pleurer comme un gamin.

★

C'était le jour de la Bonne Dame d'août. Les femmes étaient descendues à vêpres et dans le domaine écrasé par le soleil, le vieux restait seul.

109

TERROIR

Il avait tiré les contrevents de la cuisine; dans l'ombre fraîche où bourdonnait une guêpe, il somnolait vaguement.

Il y eut des pas dans la cour et une voix cria devant la grande maison silencieuse :

– Il n'y a personne?

Brusquement tiré de sa rêverie, il sortit. La lumière crue l'éblouit un instant, puis il aperçut à la barrière un homme endimanché qu'il ne connaissait pas et qui souriait dans sa moustache blonde. Le vieux crut qu'il venait pour acheter un joug ou un harnais de travail : depuis quelque temps, il ne passait pas un dimanche sans qu'un étranger montât aux Bergeries pour voir le matériel à vendre.

Il alla vers lui lentement et ils se serrèrent la main.

– C'est bien le domaine des Bergeries? dit l'inconnu.

Alors le père Pierre comprit :

– Oui bien, fit-il.

Et il ajouta après un silence :

– C'est peut-être que vous voulez le prendre à la Saint-Martin?

– Si on s'entend avec le propriétaire, ça pourrait bien être!

– Entrez donc à la maison, en ce cas. On va prendre un verre et puis je vous ferai voir les bâtiments.

– Allons, comme vous voudrez. Mais il faut que j'attache ma jument, parce que la mouche est mauvaise.

110

– Attendez donc : on va la dételer. Je vais appeler le petit gas. Il doit être après faire parnière.

Ils allèrent jusqu'à la grange : à l'ombre, une voiture à deux roues était arrêtée et une jeune femme tenait la jument par la bride.

Ils se mirent à dételer. Puis le vieux appela Gabriel qui sortit de la grange, où il dormait dans le foin nouveau, les yeux lourds de sommeil et la casquette sur l'oreille.

– Tu vas mener la jument à l'écurie et tu lui donneras un petit d'avoine.

Et comme il s'éloignait avec la bête, le vieux ajouta :

– C'est une gente jument que vous avez là! Elle manque un peu d'encolure, mais elle est bien membrée.

– Elle est à mon beau-père, Mathonnière, de Thaumiers.

– Alors, comme ça, vous êtes de Thaumiers?

– Non, moi je suis le fils à François Jaillard qui reste à la Croix-Renaud, sur Arpheuilles.

– François Jaillard? Il n'a pas été fermier à la Petite Forge dans les temps?

– Si fait, mais ça remonte loin. Ça fera vingt-six ans à la Saint-Martin qu'il a pris la Croix-Renaud.

– Je l'ai bien connu aut'fois, le François. Mais je ne le reconnaîtrais pas, pour sûr : je ne l'ai pas revu depuis qu'on est là, nous autres, et dame, ça va faire tout près de trente et un ans...

Alors ils se promenèrent à petits pas dans la cour, autour des écuries et des deux granges. Le père Pierre expliquait et Jaillard hochait la tête en silence – comme avait fait Jacques lorsque, à son retour de la guerre, le vieux lui avait montré que tout était en ordre... Puis ils revinrent vers la maison. En traversant le petit jardin plein de carafées et de résédas lourds d'abeilles, Jaillard se retourna, admira un instant la vue qui s'étendait sur toute la vallée de la Marmande et, plus loin encore, jusqu'aux montagnes bleues du Bourbonnais. Il se contenta de dire :

– C'est bien plaisant ici!

– Oh! pour ça oui, répondit le vieux qui ajouta après un moment :

– Seulement, voilà, c'est loin de la ville et puis les chemins sont mauvais l'hiver : des chemins défoncés par les marchands de bois. On ne peut s'en sortir qu'avec les bœufs, mais ça peine dur.

Il gardait en lui le secret espoir de décourager Jaillard. Peut-être n'y aurait-il personne pour prendre le domaine à la Saint-Martin. Alors, qui sait, la Solange changerait d'idée et ils resteraient : on travaillerait un peu plus, et puis, dans trois ou quatre ans, Gabriel serait en âge de tenir sa place largement.

Ils entrèrent à la maison et s'assirent pour trinquer.

– Ce n'est pas pour vous commander,

reprit le vieux en emplissant les verres, mais par le temps qui court, c'est un rude domaine pour un jeune ménage.

– Le père nous aidera, dit la jeune femme en souriant.

– Pour ça, les terres ne sont pas mauvaises, reprit Pierre. C'est même dans les meilleures du pays pour les grains et j'y ai levé quelques bonnes récoltes. Mais le sanglier y fait du délit tous les ans, et par hiver humide, ça ne vaut rien...

Ainsi, mêlait-il l'éloge et le blâme, car il ne pouvait se résoudre malgré tout à décrier ce domaine qu'il aimait.

Ils causèrent encore quelques minutes, de choses et d'autres, puis Jaillard fit atteler sa voiture par Gabriel.

– Écoutez, dit-il en prenant les rênes, on réfléchira encore. Et puis il faudra aller voir M. Teilleraut. Enfin, on en recausera.

– Eh bien donc, au revoir, répondit le vieux. Vous souhaiterez le bonjour au François de la part d'un ancien.

La voiture s'éloigna, cahotée dans les orniè- res. Le vieux restait là, et il devinait qu'ils échangeaient, entre de longs silences lourds de calculs, leurs impressions sur le domaine.

Sur le seuil de l'écurie, Gabriel mettait sa blouse bleue pour panser les bêtes sans salir ses habits du dimanche.

– Qui donc c'est? demanda-t-il curieuse- ment.

Mais le vieux ne répondit pas et revint doucement vers la maison, absorbé dans ses pensées.

★

L'été passait, et au domaine ils étaient trop occupés par la moisson pour songer à leur misère. La récolte était belle, la dernière récolte semée par Jacques : lorsqu'il déchargeait les lourdes gerbes liées à la main, le père Pierre songeait souvent à défunt son gendre :

– Serait-il heureux, tout de même, s'il voyait ça!

Parfois aussi, quand la nuit était douce, les deux vieux s'asseyaient sur le banc à la porte de la cuisine et regardaient les étoiles. C'est alors qu'ils sentaient monter en eux une détresse inconnue. L'avenir, comme à tous les vieux, leur paraissait incertain et les effrayait.

La Solange mettait la vaisselle en ordre et le bruit des assiettes heurtées arrivait jusqu'à eux par la fenêtre ouverte. Dans la cour, Gabriel causait avec le domestique. Tout était calme. Les grenouilles chantaient au bord de l'étang. Dans un pré, très loin, un taureau inquiet bramait.

La batteuse vint aux Bergeries au début de septembre et y resta quatre jours pleins. Ils ne finirent de battre que le cinquième jour, après la soupe du matin. Les ouvriers ne furent pas

114

fâchés de s'en aller, parce qu'on ne s'amusait guère au domaine. La mort de Brégeault était encore trop présente à tous les esprits. Les plus hardis eux-mêmes n'osaient pas plaisanter avec la Solange. Le dernier repas qu'ils firent aux Bergeries se termina sans chansons et plusieurs envièrent Jacques d'être si fidèlement aimé.

★

Le 8 septembre, Jaillard passa au domaine à bicyclette. Il revenait de chez M. Teilleraut.

– Alors comme ça, vous vous êtes entendu avec le maître? demanda le père Pierre.

– Ma foi, oui. Il y a bien encore des choses à discuter, mais ça s'arrangera à petits coups.

– C'est bien le bon homme, M. Albert; il crie quelquefois un peu trop fort, mais il n'est pas dur pour son monde.

Ils convinrent de faire l'expertise et de dresser l'état des lieux le 25 septembre. De cette manière, on pourrait vendre les bêtes en excédent à Charenton, pour la Saint-Michel, et comme Jaillard amenait avec lui deux bonnes juments, on conduirait la vieille grise aux foires d'Orval.

Les jours passèrent vite jusque-là, malgré le grand désœuvrement des fins d'été. Comme les gros travaux étaient finis, le vieux occupait ses journées avec Gabriel et Cornebrand à mettre le domaine bien en ordre. Chaque jour, son cœur se serrait davantage, en songeant au départ qui approchait.

★

L'automne reparut au fond du ciel lavé par les derniers orages. La lisière des bois commença à jaunir. Les feuilles dorées tournoyaient longuement dans l'air calme avant de se poser. Les prés dans les fonds étaient pleins de colchiques et de champignons roses. L'oubli qui passe sur les chagrins comme un ruisseau clair sur des branches mortes, peu à peu, montait dans leur cœur.

Après l'expertise qui eut lieu sans contestation, Jaillard prit le vieux à part et lui dit :

– Dites donc, père Pierre, j'ai une proposition à vous faire. C'est difficile tout à l'heure de trouver des ouvriers qui connaissent le travail. Ça fait que, si vous vouliez, je vous embaucherais, vous et Cornebrand, toujours jusqu'à la Saint-Jean d'été...

– Oh! je ne suis pas en peine de trouver du travail.

– Pour ça, je sais bien, protesta Jaillard. Mais vous connaissez le domaine, ça me rendrait service, et puis vous gagneriez davantage.

– Enfin, je ne dis pas non. Seulement ça dépendra si je trouve un logement à Brebeure pour nous deux la Catherine.

116

– Eh bien, vous me rendrez réponse pour
les Orval.

Dès le lendemain, qui était un dimanche, il
se mit à chercher une maison. Il ne savait pas
s'il était content ou mécontent de l'affaire, mais
il sentait cependant une espèce de joie à voir
que l'avenir s'arrangeait tout seul.

Deux pièces, avec un bout de jardin, auprès
de l'écluse du canal, lui convinrent. Et puis, il
était bien avec l'éclusier Paulat : celui-ci achetait tous les ans aux Bergeries l'avoine et le foin
qu'il revendait aux mariniers pour leurs ânes.
Justement, comme le vieux passait, Paulat
était dans son jardin en train de cueillir des
poires.

– Eh bien, Pierre, cria-t-il, tu n'entres pas?
Je paye la goutte.

Ils s'assirent dans la cuisine. La mère Paulat, une grosse qui parlait avec l'accent chan-
tant et la volubilité des Bourbonnaises, apporta
la bouteille de marc. Et s'appuyant à la table
avec ses deux bras rouges et courts, crevassés
par les lessives, elle interrogea, curieuse :

– Comme ça, on va donc devenir voisins?

– Ça pourrait bien être, répondit placide-
ment le vieux.

– Tu ne seras pas mal, intervint Paulat. Le
logement est petit, mais c'est bien convenable.

– L'embêtant, c'est que je serai loin du
travail. Pour monter aux Bergeries tous les
jours, ça me fera du chemin!

117

– C'est donc vrai que tu continueras à travailler là-haut? Ça ne te fera pas gros cœur d'y retourner?

Le vieux eut un geste vague :

– Des fois! Mais vois-tu, Gilbert, je suis trop ancien pour changer, c'est sûr. Et puis qu'est-ce que tu veux, faut bien durer... Quand le malheur s'est mis quelque part, c'est comme échardons dans les prés.

★

Octobre passa rapidement. Sur les Crys, les vignes attendaient les premières gelées, et les petites loges se dressaient comme désolées entre les ceps couverts de feuilles rouges.

Le 10 novembre, Jaillard amena son mobilier et l'entassa sous l'auvent de la grange en attendant que la maison fût libre. Les vieux Bouveron s'étaient installés la veille à Brebeure. Aussi n'eurent-ils plus, le jour de la Saint-Martin, qu'à s'occuper de conduire à Ainay les affaires de la Solange. Tristesse de ces déménagements. Mille petites choses inutiles et précieuses accrochées à leur place familière aux murs de la maison, mille petites choses chargées de souvenirs, avaient un air lamentable sur les carrioles. Ils quittèrent le domaine le cœur serré.

Ils passèrent la journée à Ainay, à ranger les meubles qui paraissaient étranges en leur nouvelle place. Puis l'heure vint de se séparer.

– Restez donc souper avec nous, dit la Solange.

La mère Catherine aurait bien consenti; mais le vieux, sans savoir pourquoi, était pressé de se retrouver tout seul – comme s'il avait voulu entrer d'un coup dans sa misère.

– Il n'y a pas moyen, fit-il. Faut que je sois de bonne heure à l'ouvrage demain.

Et il alla atteler la bourrique. Un moment après, il revint :

– Allons, Catherine, allons, c'est temps, cria-t-il.

Elle se décida enfin à le rejoindre sur le siège de la voiture.

– Au revoir tout le monde, dit-il.

Puis il secoua les rênes sur le dos de la bourrique pour couper court à ces adieux qu'il redoutait.

– Faudra venir manger avec nous dimanche! leur cria encore la Solange.

Et debout sur le seuil, elle les regardait s'éloigner, tout courbés sur le siège, dans la lumière grise du crépuscule.

★

Catherine avait bien envie de pleurer. Mais à quoi servent les larmes? Le vieux ne disait rien. Du haut de la côte d'Ainay qui descend raide vers Laugère, ils aperçurent sur l'autre versant, à demi caché dans les bois encore dorés, le toit rouge des Bergeries.

Alors, il baissa la tête et soupira.

La nuit tombait quand ils arrivèrent chez eux. Catherine alluma du feu dans la maison froide et prépara la soupe. Après avoir mangé, ils restèrent là, songeurs. Cette soirée, où, pour la première fois depuis bien longtemps, ils se trouvaient seuls dans une maison nue, leur rappela le jour lointain de leurs noces. Dans ce temps-là, ils étaient pauvres et leur mariage s'était fait sans éclat. Ils avaient déjeuné chez le père de la Catherine à Braize, et dansé un peu chez Vénuat, au café des Trois-Perdrix. Puis à la nuit tombante, ils étaient rentrés à Changy, dans la petite locature qu'il tenait de son père à lui. Et comme ce soir, ils s'étaient sentis découragés et, sans raison, tristes.

Catherine se mit au lit vers neuf heures, mais lui, il n'avait pas sommeil et resta au coin du feu, la tête basse. Dehors, la pluie tombait. Il se sentait malade, confusément, sans se demander d'où il souffrait. C'était une sorte de fatigue comparable à celle qu'il avait éprouvée, étant soldat en 70, lorsqu'on allait sans savoir où, par les routes couvertes de neige sale, indéfiniment, pour deux jours après revenir sur ses pas. Ce souvenir le ramena à celui de l'autre guerre et de Jacques.

Comme la pluie redoublait, il se leva en

soupirant et alla jusqu'à la fenêtre pour fermer les contrevents qui battaient. Une forte odeur de terre mouillée venait à lui. Le jardinet inculte et lamentable se laissait deviner dans l'ombre où l'eau ruisselait presque sans bruit.

– Heureusement que les labours sont finis, pensa-t-il, parce que sans ça...

Et soudain, l'idée le prit que, pluie ou beau temps, tout cela n'avait plus d'intérêt pour lui désormais, puisqu'il était redevenu simple ouvrier, un traîne-besace sans retirance.

Alors il ferma la fenêtre et s'en alla dormir.

*

Le lendemain de la Saint-Martin, il se leva à cinq heures pour monter aux Bergeries. La pluie avait cessé. Une lumière trouble hésitait dans le brouillard. La petite cloche du couvent tintait timidement comme un souvenir.

Il sortit sur la route et referma soigneusement sa barrière. Comme il s'éloignait à grands pas, il croisa sur le pont du canal le facteur qui allait chercher les lettres au train de six heures.

– Eh bien! mon père Pierre, ça va-t-il, ce matin?

Il eut un geste las :

– Tout petitement, mon Lucien, comme les vieux, quoi donc!

121

TERROIR

Devant lui, la route avec des flaques dans la boue rouge s'allongeait entre les peupliers, interminablement. Alors, il comprit que ce serait la même chose tous les jours et que l'hiver ne finirait plus.

TROISIÈME PARTIE

CENDRES
OU LES BOURGEOIS DE VILLAGE

I

L'IMAGE des bourgeois de la petite ville en évoque une autre, celle de ces sanctuaires romans qui tiennent si fort au sol par leur large édifice et dont la nef pourtant s'élève comme une prière. Prière lourde de sève terrienne. Prière humble, semblable à celle d'une vieille femme candide et illettrée. C'est comme un vaste effort de l'homme qui l'agrandit et qui, du sol où il reste enraciné, le mène à Dieu. Eux, de même, ils n'étaient pas d'une autre souche que les terriens. Ils tenaient à l'argile populaire par toutes leurs racines. Bien qu'ils eussent des noms distingués et qu'on les appelât habitants de campagne, ils vivaient en pauvres gens. Quand ils mouraient dans leurs chaumières perdues aux régions sans chemins, les encans dispersaient leurs choses tant aimées. Et alors, ce n'étaient pas des consoles dorées, mais des bahuts défoncés et de mauvais châlits qui, durant la criée interminable, écrasaient les carafées de leurs courtils. Mais il y avait dans ces familles une noblesse particulière, puisée avec patience au long des heures, dans la lente fréquentation des taillis et des guérets, dans l'amitié exclusive de la terre et la fidélité à sa servitude. Les exigences de la société, d'ailleurs, ne frappaient pas en vain à la porte de leurs masures. Ces hommes de la terre moissonnaient les idées. Les limites de leurs champs, si douloureusement étroites en apparence, étaient l'encadrement du grand miroir du monde. Comme ces familles de la campagne romaine dont ils étaient les héritiers, ils comptèrent parmi eux des prêtres et des magistrats; l'ordre qui régnait dans leurs héritages, et la régularité des carrés de leur jardin les avaient rendus juristes. Le mystère des prairies et des chemins de domaines, avec la mélopée des heures, les faisait religieux. Ces deux fonctions étaient issues de la terre : les gestes du prêtre et du magistrat étaient, simplement stylisés, les gestes mêmes du laboureur. Et quand, dans une solitude berrichonne, bourbonnaise ou lozérienne, on vous montre l'humble maison dont les petits enfants sont prêtres ou hommes de loi, ceux qui ignorent l'âme du sol sont seuls à s'étonner du grand destin des habitants de campagne.

Leur souvenir en appelle un autre encore. C'est celui du petit pays où ils ont vécu et qui est une orée de lilas blancs, orée au cœur des rivages français, ayant vue sur des bords extrê-

mes, dans les Nivernais les plus vert pomme et
les Auvergnes les plus mauves et sur les bocages
les plus poitevins qui soient, avec des précisions
lorraines, tourangelles et champenoises, et un
peu de Savoie encore, et de l'Argonne partout.
(Car ce qui nous intéresse, ce n'est pas la terre
en friche ni la nature brute. Un coin de mer
n'est émouvant que s'il est peuplé de voiles. Des
jeux d'ombre et de lumière sous un ciel étrange
et sans limites, pour réussis qu'ils soient, n'ont
jamais suffi à remplir le cœur. Ce que nous
aimons, c'est la terre familière où les horizons
sont connus, où le moindre buisson ne laisse
place à nulle surprise, où le mystère n'est pas né
de l'ignorance, mais d'un continuel émerveille-
ment d'amour : c'est la terre telle que la peine
de l'homme l'a faite, – le terroir.) – C'est là que
les bourgeois de village ont puisé leurs meilleures qualités, charme paisible, vaste patience
d'une pièce d'eau : la tradition des habitants de
campagne.

C'est dans leur âme obscure que sont nées,
comme des fleurs patiemment écloses, les devi-
ses candides pour orner la garde des eucologes :
« *Ce livre est à Gabriel Luc Vigier, habitant du
Tremblai, paroisse de Soye, celui qui a été
vainqueur de l'Envie, de l'Avarice et de la
Volupté.* » Ou mieux encore, c'est là que se sont
forgés ces mots évocateurs du terroir : les « héritages », enclos de haies dont toute la valeur est
d'avoir été transmis comme le gage de la souf-

france des grands-parents; les « hommées », qui sont la mesure de la peine d'un chacun dans les vignobles. Car la vraie figure du paysan n'est pas dans la bucolique ni dans l'idylle, rêves de citadins élégants et déçus : elle se trouve sur les murs de nos cathédrales. L'homme courbé et sa grandeur.

Et rien ne clôturait mieux leurs existences retirées que la simplicité des tertres où ils reposent avec la seule noblesse de la masure où ils ont vécu : Foucher du Bouchaut, Foucher des Genêts, Debize des Brignats, Osty de Peyreviole... Ainsi finissent les habitants de campagne.

Sur cette orée du monde où ils sont nés, il y a eu toujours de cruelles fatalités. Les sanctuaires romans n'ont pas l'allure victorieuse des flèches gothiques, mais la lassitude des maisons d'hommes, la lassitude dans l'effort soutenu et persistant. Pour demeurer attachés à la terre, ils sont devenus ses mercenaires, mais l'amour enchaîne pour libérer, et le vaste amour qu'ils portaient à leurs héritages faisait toute la grandeur des habitants de campagne.

C'est leur histoire que racontent en termes vagues des archives moisies dans l'humidité des sacristies, aux vieilles paroisses des routes qui montent.

CENDRES

*

Telle cette famille Debize qui portait :
d'azur à une colombe essorante en pointe d'ar-
gent et une croix pattée d'or en chef, et qui
vivait dans une région retirée parmi des mon-
tées de bruyères et de genêts, là où l'on voit des
pierres géantes dont le nom de Jaumâthres est
empreint d'une sorte de résignation. Les familles vivaient nombreuses alors sous le même toit
de chaume marron; l'inimitié séparait les
hameaux, les nobles désœuvrés étaient des
laboureurs. Les longues heures s'écoulaient
dans le pays violet à ramasser le sarrasin sur
des sillons ingrats. Et à lire les archives où la
main d'un vieux prêtre a tremblé, on devine à
travers les mots, les bonnes journées sous des
soleils disparus, la veillée à la fumée des chène-
vottes, la tristesse des matins endeuillés de
sépultures, et le travail silencieux des bounhou-
mes dans les rocailles.

Les cours des villages aujourd'hui sont
défoncées, les masures sont en ruines, et sous
les ronciers, la pierre des anciennes tombes est
noircie; vers le soir des gerbes de lilas envahis-
sent le paysage abandonné.

Plus tard, les descendants de ces laboureurs habitaient une contrée plus riante, avec
des routes blanches et des prairies, entre Épineuil et Préveranges, au pays des aubépines.

131

Le Debize d'alors s'appelait Laurent. Après de mauvaises affaires, il s'était retiré sur la terre de la Courcelle, appartenant à son cousin François Debize du Puits d'Or. Il vivait là d'une vie retirée, tandis que tout sommeillait dans les chemins émerveillés de sauterelles et de mûres. Rêveur et triste, il s'endetta dans son exil. Il attendit sept ans son premier enfant. Cette naissance eut lieu en 1769, en plein hiver, après les fêtes de Noël, ainsi qu'en font foi les archives de Saint-Priest-la-Marche :

« Saint-Priest-la-Marche, 1769. L'an mil sept cent soixante-neuf, le trente décembre, a été baptisée Catherine, née de ce jour environ sept heures au château de la Courcelle, en cette paroisse, du légitime mariage de Laurent Debize, fermier au dit lieu et d'Héleine Damon, son épouse. Le parrain a été Etienne Pichon et la marraine, Catherine Villatte, domestiques de la maison, qui ont déclaré ne savoir signer. Le père absent. »

Un an après, jour pour jour, naissait une autre fille, baptisée Marie-Hélène.

Et il y a quelque chose de tragique dans ces lignes. Cela évoque les jours où, dans une tourmente de neige, Catherine Villatte et Pichon sont allés porter Marie-Hélène à l'église, tandis que le père se chauffait tristement dans la chambre de sa femme, en regardant par les petits carreaux verdâtres la nuit s'étendre sur le clos comme une génisse malade.

CENDRES

Cette grande misère accrue par les mauvaises récoltes ne s'acheva qu'au jour où le bonhomme mourut. Un long procès avait été engagé entre Laurent Debize, des Brignats, et son cousin Debize du Puits d'Or. Les dettes envers le Puits d'Or étaient immenses. La veuve des Brignats dut quitter la Courcelle.

Il y eut donc un jour où, accompagnée de ses petites, elle ouvrit la grille qui se referma parmi les lilas. Il faisait chaud et on entendait le chant des paons qui se répondaient sur la campagne silencieuse. Ils n'y retournèrent jamais plus. Ils réfugièrent leur chagrin, dans le pays de Lignières, près l'abbaye de Chezal-Benoît, où il y a des étangs et des forêts.

La dame Debize y vécut longtemps en paysanne dans une pauvre locature environnée de quelques ouches, parmi le sautillement des papillons. L'économie ramena la fortune : en 1789, demoiselle Marie-Hélène Debize des Brignats épousa à dix-neuf ans Pierre Huard de l'Estang, lieutenant de la Grande Louveterie de France. Catherine Debize fut mariée un an après à Jean-Baptiste Gilbert Touraton des Chellerins, notaire royal et bailli de Culan. Tous les moines de l'abbaye assistèrent à ces deux mariages. La veuve des Brignats alla terminer ses jours laborieux à Saint-Amand, dans une grande maison de la rue Cordier, où il y avait un vieux puits, une cour triste et une porte cochère.

TERROIR

*

Vers le même temps, les Saint-Horent, étroitement alliés aux Debize, labouraient la même campagne. *Ils portaient d'azur au chevron d'argent accompagné en chef de deux croissants, en pointe un aigle, au chef cousu de gueules chargé de trois étoiles d'or.* C'est en leur maison de la Forest qu'eut lieu un jour d'hiver, l'inventaire suivant :

« 31 janvier 1783. De la part et à la requête de François de Saint-Horent, prêtre, curé de la paroisse de Chassignolle, tuteur nommé aux enfants de défunt maître Gilbert de Saint-Horent et défunte Catherine Debize sa femme, vivants habitants de campagne de la Forest, a été faite de cette magnère adjudication des meubles meublants et mobilier du dit lieu de la Forest. A été misée une petite tourtière par Michau à 50 sols, par la veuve Mazorie à 55 sols à elle donnée; plus une mauvaise âche 24 sols par le sieur Antoine Gallerand, cabaretier au bourg de Boussac; plus deux chandelliers en cuivre par le sieur Mareschal, une petite mauvaise crémaillière à Claireau, une autre a été misée 24 sols par Bigournat et par le sieur curé de Saint-Pierre le Bost 27 sols. Plus trois mauvaises pelles à feu, une mauvaise poêle à châtaignes misée par Claraud, sabotier, un châlit en menuiserie avec tringues, plus un très mauvais tamis ou cribe, un mauvais tenou avec quelques fruits, le moulin à passer farine, un crochet de fer, un très mauvais dressouer, cinq chaises, une petite mauvaise armoère, un mauvais lit de plume avec ses traversins et couverts en une mauvaise catalogne, seize bonnes serviettes, un linceuil de toile commune, deux aunes de basin misées par le sieur curé de Saint-Pierre le Bost, deux manteaux ou redingottes, dix-neuf sacs de toile, quatorze livres et demie de fil de lyn non blanchi, au curé de Bussière Saint-George. Plus trois plats et une soupière, un setier d'orge et une paire de mauvais pistolets au dit sieur Gallerand... »

★

Une autre histoire est celle des Croussolle, famille parente aux Debize et aux Saint-Horent et qui, longtemps nomade, s'était fixée au pays floréal de l'Augère à la limite du Bourbonnais. Il y avait là, près de la rivière Marmande, dans des prairies souvent inondées, un domaine en ruines groupant plusieurs toits de tuiles ou de chaume, sous lesquels pullulaient les enfants de Blaise Croussolle, marchand de bestiaux. Les terres du Bouchaut n'étaient point bonnes, les ruesses pleines d'arondes et d'augerons; dans les plessis du bord de l'eau, il y avait des iris au cœur bleu, et des digitales sur les guérets.

Guillaume Croussolle du Bouchaut avait

marié son fils Jean à demoiselle Louise Beaugy :
ils demeuraient à Viémut, dont les toits sont à
mi-côte, visibles du Bouchaut à travers les
peupliers. La sœur de Jean fut promise à
Etienne Foucher. Ce dernier, né en 1740 à
Achères, marchand au faubourg Saint-Mar-
ceau, avait été amené dans le pays par son oncle
Pasdeloup, naguère curé des Etieux, maintenant archiprêtre et doyen de la communauté
des vicaires dans la petite ville. L'abbé, d'ailleurs, avait marié tous ses neveux au voisinage.
Françoise Foucher avait été donnée à un tan-
neur de la Marmande nommé Moret. François
Foucher s'établit dans un domaine à Coust.
Leur sœur, Anne, était célibataire. Étant fort
distinguée bien que fille de campagne, elle
vivait en amitié avec messire Mathieu de Foul-
lenay, bourgeois, qui lui fit don d'une maison
dans la grand-rue, avec un jardin sur l'ancienne
butte féodale.

Donc Etienne Foucher épousa Marie-Anne
Croussolle alors qu'elle n'avait pas encore vingt
ans. Ils eurent pour témoins l'oncle et la tante
Croussolle de Viémut. Alors commença au Bouchaut le rosaire de leurs chagrins. Les enfants
naissaient et décédaient comme des mouches.
Blaise, Marie-Anne, Jean-Baptiste, Gilbert,
François, Louis, Alexandre, Etienne... Il y en
eut une vingtaine. Le père est désigné sur les
actes tantôt : bourgeois au lieu du Bouchaut,
tantôt : laboureur au Bouchaut, ou encore :

marchand commerçant. Cette condition mitoyenne lui permettait des relations panachées : tous les châtelains du voisinage furent parrains au Bouchaut.

Les années passèrent, brumeuses et fatidiques. Bien des corps à peine formés furent fauchés du côté de la vieille Augère où les iris ont des cœurs bleus. Des âmes de treize et de seize ans se sont envolées entre ces pignons aujourd'hui délabrés, où l'aubépine fleurit encore sur les ruines de la forge.

En 1780, l'année fut terrible. L'été trop sec avait laissé les chaffauds vides. On devait vendre les bêtes les plus aimées et puis, par-dessus tout, il y avait du deuil dans la maison. Marie-Anne avait été mariée le 11 février 1779 à un marchand de Valigny, nommé Parent. Or le père Foucher décéda au Bouchaut le 6 septembre 1780. Deux jours plus tard Marie-Anne Parent mourut; la mère Foucher ne résista pas à ces épreuves : elle mourut le 11 juin 1781 à quarante-deux ans.

Telle est l'histoire du Bouchaut, cette masure où il y eut tant de veillées sous les chandelles du père Moret, où les enfants souffreteux avaient dans les yeux des reflets étranges. Ils s'appelaient Croussolle, marchand de bestiaux, ou Foucher, marchand-commerçant, et ils dévidaient comme le fil raide de leurs moutons noirs une tâche immense de chagrin et d'ennui; ils étaient au Bouchaut, parce qu'un

TERROIR

jour le trisaïeul, venant de loin, s'était arrêté là,
et c'est là qu'ils sont tous décédés, avec rien
d'autre dans les mains qu'un cierge de la Chan-
deleur et un buis des Rameaux...

II

Ces laboureurs n'ont pas péri tout entiers
avec le temps d'autrefois; mais suivant le chemin rude des époques, leurs descendants sont
devenus bourgeois de village, ou encore les
maîtres de ces propriétés silencieuses et charmantes, avec des remises où il y a de vieux
cabriolets jaunes dont on ne se sert plus.
Rien n'a été changé dans le genre de vie de
ces familles ni dans leur position sociale. Pour
connaître leur âme, il y a plus pourtant que de
mortes archives, car elles ont un pauvre chroni-
queur : c'est la vieille femme qui a servi chez
elles pendant de longues années.

Souvent nous l'avons été voir, par les soirs
de novembre, dans sa maison basse du bord de
l'eau, au pied des remparts de la petite ville.
Son toit est le dernier sur le chemin. Il fait froid
et tous les bruits s'éteignent. Elle parle à l'heure
où, par la croisée, on voit dans la nuit tombante
des nuages rouges, signe de gelée et de grand
vent, se refléter dans la rivière. Le feu s'endort

dans l'humble cuisine, comme un petit mendiant triste. Elle parle alors de ceux qu'elle a connus et qui sont partis. Ils n'étaient pas d'une autre race qu'elle; or elle est de campagne.

★

Sa mère naquit à Isle, dans un village à trouver sur le bord de cette même rivière de Marmande qui passait au Bouchaut, en continuant un peu vers le sud. Son père s'appelait Jean Montbrault, sa mère, Marie Crutin, et ils la nommèrent Eulalie. Elle vint au monde sous ce toit mangé de mousse, dans le faubourg de la petite ville où elle vit encore.

Ses premières années se sont passées à écouter le rouet de son aïeule et les récits du père Montbrault qui avait été jusqu'en Russie avec le grand Napoléon, ou bien à ramasser du cresson dans la font Delavarenne.

Comme elle était gaie, la rivière en ce temps-là, lorsque les grandes forges marchaient, que les ouvriers passaient devant la bicoque Montbrault pour rentrer en ville à l'heure des repas, que les instants étaient coupés par le bruit alterné des marteaux!

Lorsque Lalie eut huit ans, on la mit en condition au moulin de la Rivière. La fermière était forte et sévère, quoique bonne au fond. On priait le soir auprès des feux, en faisant des paniers. Elle y resta deux ans. Puis elle entra en

service dans une métairie du Bourbonnais, au-
delà de la forêt de Tronçais, vers des pays que
son regard décrit encore longuement. Les gens y
parlaient la langue rapide et chantante des
Méridionaux et elle avait peine à les comprendre :

    – Co lé tarfouffe? Co lé bardo?

Elle gagnait vingt francs par an et une
paire de sabots. Elle était contente, encore
qu'elle eût peur en gardant ses oueilles, car les
champs du domaine étaient à la lisière du bois;
elle récitait soir et matin les formules apprises
de ses parents dans les veillées et qui protègent
de tout danger :

    « *Glorieux saint Hubert, filleux d'amou-
reux, gardez-moi des trois bêtes, de l'aspic, de
la serpent, des mauvais chiens courants; qu'ils
approchent pas plus près de moi que la belle
étoile du ciel.* »

Il y avait une marche de six lieues entre le
domaine et sa petite ville natale. Elle revint
chez ses parents au bout de quelques années.
C'est alors qu'elle commença à connaître les
bourgeois de village.

C'était le matin, vers dix heures, que
Mme Consol, née Mélanie Blondel, venait chercher des œufs pour son mari. Elle ne manquait
jamais d'apporter à la mère Montbrault des
roses toutes fraîches ou des branches de lilas
cueillies dans son jardin.

C'était le soir, vers cinq heures, que M. Vi-

gier, ancien notaire et cousin de Mme Consol,
venait à son jardin dans l'île, avec son domestique. Et il avait toujours un bon mot à dire en
passant, auquel on ne comprenait rien parce
qu'il était très savant. Et il disait à son
cocher :
– Donne des pommes à la petite Lalie.
C'était du bon monde.

Lalie n'était jamais encore montée en ville,
car leur masure se trouvait dans l'île au bas de
la côte. Il y a là des prés, des vergers et
d'anciennes tanneries délabrées. Elle y monta
pour la première fois, comme elle atteignait ses
douze ans, le jour de l'enterrement de Mme Foucher, grand-mère de Mme Consol. Il y avait des
suisses en uniforme et tous les curés du canton
après le desservant de la paroisse. Et la mère
Montbrault, devant le défilé somptueux, serrait
la main de sa petite, avec émotion :
– Regarde, ma fille, la belle enterrement!

Lalie, un peu plus tard, fut louée dans la
ville chez Lasnier, à l'hôtel de l'Étoile, et elle ne
retournait à la masure de l'île que pour y passer
la nuit.

L'Étoile était une auberge, avec une cour
pour les voitures et un grand écriteau délavé
par les pluies :

> *Chez Lasnier, à l'Étoile,*
> *On loge à pied et à cheval.*

Elle apprit alors le passé récent de toute la
société qui vivait dans la petite ville. Aux jours

de foire, quand les voitures s'arrêtaient si nombreuses à l'hôtel qu'elles remplissaient la cour et qu'on était obligé de ranger les retardataires, brancards levés, sur le trottoir de la grand-rue, les hommes en blouse se faisaient verser la piquette des Crys. Et ils racontaient que dans les temps, tous ces bourgeois étaient une même famille : il y avait les Foucher du Bouchaut, ceux des Genêts, ceux de la Planche et les Moret. Mais des histoires de succession, des querelles de bornages ou des rivalités entre dames orgueilleuses y avaient semé la discorde.

Au lendemain de la Révolution, Denis, le dernier fils d'Étienne Foucher et de Marie Croussolle, avait vendu le Bouchaut et épousé Catherine Courroux, la fille d'un maréchal qui battait l'enclume à l'entrée de la petite ville. Son domaine de Viémut lui resta et il en acheta un autre aux Éveillés. Son fils, Louis-Paul, fut prêtre, et il donna ses deux filles en mariage aux aubergistes du pays, Lasnier à l'Étoile, et Gatien Bidron à l'enseigne du Bœuf Couronné.

Les Foucher de la Planche, naguère laboureurs à Coust, avaient marié leur fille Marie-Anne à M. Vigier, notaire. Ils possédaient des prairies dans la vallée, héritage de l'archiprêtre Pasdeloup, des champs sur la hauteur et quelques arpents de vigne aux clos des Crys.

Foucher des Genêts avait marié sa fille

avec Louis Guillain Blondel, de Bannegon. Les Foucher des Genêts avaient été riches jadis : mais un grand nombre d'enfants, comme au Bouchaut, joint au désir de vivre en propriétaire sur des terres devenues minuscules à la suite de partages, les avaient ruinés.

Les beaux cousins d'Aubigny qui portaient *d'or à la bande de gueules chargée de trois lionceaux d'argent*, se ruinèrent à Madot, vieux domaine perdu parmi les dialogues de pintades.

Chez Lasnier, on racontait tout cela quand les patrons n'écoutaient point. Et l'on disait aussi que tous les descendants des Foucher iraient à la misère, faute d'économie. Lalie en faisait son profit.

D'ailleurs, à l'Étoile, on ne la mettait pas en cage et on l'envoyait souvent aux commissions. Un jour, Mme Lasnier la chargea de porter du linge chez les Vigier. La femme du notaire, née Marie-Anne Foucher, tricotait dans son salon. En voyant venir l'enfant, elle ouvrit la croisée pour lui parler. La dame était en mauve, avec son béguin de dentelle, et elle avait des boucles d'oreilles que Lalie n'aurait jamais crues si brillantes, lorsqu'elle les voyait de loin, chaque dimanche à la grand-messe.

Une autre fois, la petite servante de l'Étoile pénétra dans la chambre même de Mme Vigier. C'était si beau! Il y avait une console en bois doré et des chandeliers d'argent, et de grands rideaux rouges à l'alcôve, et les lambris étaient gris clair...

Peu à peu, elle avait gagné la confiance de l'hôtelier, Paul-Armand Lasnier. Il lui donna la clef du cercle. C'était une salle avec une table à tapis vert. A jours fixes, M. Consol, ancien conducteur des Ponts et Chaussées, M. Foucher, propriétaire, M. Vigier, notaire, et M. Guillain Blondel jeune, tous plus ou moins parents, se réunissaient autour d'un journal. On parlait de politique et de choses savantes. Lalie les écoutait pérorer à travers le carreau recouvert d'une cretonne bleue. Et avec ses notions illettrées de géographie paysanne, elle situait les choses lointaines dont ces messieurs parlaient, dans les pays environnants. Au midi du Bourbonnais, elle plaçait sous la dénomination générale de « pays des châtaigniers » toute la région des montagnes, des montagnes prochaines là où M. et Mme Foucher avaient des domaines, et Limoges, où le fils Lasnier étudiait la pharmacie, et Mauriac, où Mlle Irma-Virginie Lasnier était institutrice, et Saint-Dier d'Auvergne, où M. Consol avait des parents. Au-delà du pays des châtaigniers, elle voyait des plaines comme de soleil, avec ensuite le grand désert des Sârâs. Vers l'est, elle plaçait le Nivernais, et ensuite les Allemagnes et les Turquies. Elle imaginait l'étable de Bethléem un peu au-delà du Nivernais. Du côté de l'ouest, après les Océans, cela finissait aux Mexis, dont

Mlle Virginie Lasnier parlait parce que son amoureux allait sans doute y partir pour les guerres.

(C'est ce petit atlas populaire qui fait frémir au terroir les humbles paysannes. Évocation de choses lointaines et démesurées. Dans les maisons noires, alors que le feu berce la danse de nos idées et que nous entendons les rouliers piétiner au milieu de la boue avec des jurons, c'est en image tout le passé des pays environnants qui se dresse à nos yeux, dans la double vision des événements simultanés.)

★

Les messieurs du cercle étaient donc pour Lalie l'objet d'une admiration sans réserve.

Les messieurs Foucher demeuraient alors dans une maison ancienne le long des remparts. MM. Charles et Achille, les fils, vivaient toujours en blouse. Bien qu'ils eussent été en pension et qu'ils fussent renommés au loin pour leurs rentes, ils étaient comme de simples propriétaires, dressant leurs chevaux et cassant leurs noix pour faire de l'huile, sous la lampe d'hiver. M. Charles, de la tourelle où se trouvait sa chambre, aimait à jouer du cor de chasse, derrière les stores de paille bleue, et ses ritournelles mettaient tout le quartier en émoi.

La destinée de M. Achille fut plus tragique. Quoique de force herculéenne, il était doux et tendre et il aimait à chanter avec sa sœur Estelle et ses amies de la pension, sur la terrasse du jardin qui surplombait la rivière. Or, il lui arriva une fâcheuse aventure : c'était le 30 juin 1867 au temps des cerises. M. Achille avait alors trente-six ans. Sa mère lui dit :

– Achille, va donc chercher des cœurs aux vignes.

Il faisait un beau soleil; les cigales, parmi les foins coupés, répandaient la chanson de leurs mandolines tuberculeuses. Il y avait dans l'atmosphère des redondances de printemps expirant, avec des promesses de mias et de piquette. Là-haut, sur le Crys, le chemin des vignes vers la Chaume aux lièvres montait entre les haies déjà fanées.

Ce jour-là, c'était l'assemblée à Saint-Pierre-les-Étieux, et avant de monter aux cœurs, M. Achille voulut aller y boire un coup. Quand il entra à l'auberge, chez Desrutins, on le salua amicalement car il était bien connu. On vanta sa force, on lui fit faire toutes sortes de tours, et au milieu des rires, des cris et du fracas des verres entrechoqués, il oublia la commission dont l'avait chargé Mme Foucher. Il se mit à parier qu'il mangerait bien une douzaine de fromages blancs avec des cives. Et la gageure fut acceptée. La patronne en pantoufles grenat apportait à mesure les fromages soigneusement égouttés et remplaçait les chopines de vin gris et l'assiette aux oignons.

Mais soudain, Achille pâlit, puis devint violet. Tous s'arrêtèrent de rire. Avec un gémissement, il s'appuya contre le mur. Dehors, tout était calme, entre quatre envols de pigeons et le bruit d'une barrière qui s'ouvrait. M. Achille était mort. Alors il y eut dans l'auberge comme une panique. On courut chercher un char à bœufs, on y plaça le corps et le convoi partit seul sur la route, tandis que le vent traînait les refrains de la fête.

L'émotion fut grande dans la ville. Chez Gatien Bidron, au Bœuf, et à l'Étoile, il y eut des rassemblements avec commentaires.

Mme Foucher, la mère, survécut peu à cette humble Iliade. Elle devint originale et acariâtre, se targua de noblesse et se mit à nourrir un perroquet. Cependant son mari se ruinait à essayer de créer des jets d'eau dans son jardin.

★

Il n'y avait pas moins d'histoires vers la même époque chez les Blondel. Le fils du notaire de Bannegon était un peu fou, bien qu'il sût dix-huit langues et même quelques mots de chinois. De la fenêtre de l'Étoile, on le voyait partir dans les matins embrumés, avec de longues cannes à pêche. Mlle Sidonie Bidron, la revendeuse, sa parente, l'accompagnait toujours, coiffée d'un madras rouge d'allure révolutionnaire. Ils allaient ensemble guetter les vairons parmi les nénuphars de la dormante Marmande.

Guillain Blondel mourut, ruiné, dans un taudis dont le loyer était payé par les messieurs du cercle et qu'il partageait avec une ancienne modiste de Paris.

Sa sœur, Clémence-Suzanne-Zénaïde Blondel, avait épousé M. Grandon, ancien instituteur. Ils s'établirent dans une maison basse qui faisait le coin de la place de la Chapelle et voulurent vivre en propriétaires. La Clémence, pâle et désœuvrée, prenait des femmes de journée à la douzaine et passait de longues heures accoudée à sa fenêtre, d'où elle contemplait la roue du moulin dans sa marche monotone.

Son fils devait mourir maniaque et neurasthénique, au sortir d'une adolescence dévorée par la tuberculose. Il se promenait avec une canne et, s'arrêtant tous les huit mètres, poussait un caillou à coups de pied et touchait sa langue avec le bout de son doigt. Le père Grandon, aussi fou que son fils, ne le quittait pas d'une semelle : on les appelait Janvier-Février. Mme Lasnier, de l'Étoile, leur parente, en avait les larmes aux yeux, quand ils passaient en toussotant et en traînant leurs savates éculées devant l'hôtel.

M. Consol et Mme, née Mélanie Blondel, avaient fait bâtir une maison gentille à l'extrémité de la petite ville près du canal. Il y avait un toit bas à quatre pans de vieilles tuiles, à la façon bourbonnaise, au milieu d'un jardin. Dans le jardin, il y avait un cerisier double, du soleil, un kiosque en briques couvert d'ardoises, des fraises sauvages et de l'ennui. Leurs enfants moururent jeunes, sauf une fille anémique et bizarre. Mme Consol était la plus distinguée des Blondel et savait porter de jolies toilettes simples. M. Consol, né à Issime, province d'Aoste, au royaume de Piémont, était le plus cérémonieux des messieurs du cercle. Adeline Blondel avait épousé M. Phénat, ancien receveur de l'enregistrement à Lapalisse et à Bressuire. Elle passait son temps à se friser dans son cabinet de toilette, ou à lire dans le jardin de la Butte qu'elle avait eu en héritage de la tante Françoise Foucher. Elle était prétentieuse, correspondait avec des hommes de lettres, et écrivait à longs cahiers ses Mémoires.

*

Tel était à cette époque le beau monde de la petite ville. Ils étaient élégants et compliqués : il y avait des réceptions chez Blondel et des lotos chez Phénat. Quand M. et Mme Foucher marièrent leur fille Estelle à un lieutenant de Valenciennes, il y eut une belle noce. On se promena dans la journée sous les tilleuls du jardin. De l'île, on apercevait les ombrelles de soie bleue et les chapeaux couleur de libellule.

Cependant, les affaires de Lasnier, à l'Étoile, allaient périclitant. Le fils, Pierre-Alexandre, un grand jeune homme craintif, avait été gravement malade. Lorsqu'il fut rétabli, il décida, pour gagner hardiment sa vie, de monter une clouterie à Laleuf, sur un ruisseau de la commune de Braize.

Chaque matin, la pauvre dame Lasnier remettait à Lalie un panier de provisions. La servante, appuyée sur son bâton, montait là-bas, derrière les Crys, où le pauvre jeune homme mangeait son bien.

Dégoûté de l'industrie, Pierre-Alexandre acheta une étude d'huissier dans la petite ville. Incapable, il dut, après trois mois, revendre avec perte à Débournoux. Il remonta alors à Laleuf, construisit des parcs à volailles et se mit à faire en grand l'élevage des canards et des dindons. Mais les plus belles d'entre ses bêtes finissaient dans la casserole des Lasnier les jours d'assemblée. Et sa mère désolée se concertait avec Lalie :

– Lalie, mon pauvre grand est si berdin! Tu vas monter à Braize, tu prendras une carriole et tu iras vendre une pleine voiturée de dindes à la foire de Sancoins.

Et quand la servante rentrait, tard dans la nuit, car la jument fatiguée marchait au pas depuis Bessais-le-Fromental, elle remettait à Mme Lasnier le rouleau de napoléons avec lequel elle achèterait du linge pour son grand fils.

151

TERROIR

Pierre-Alexandre mourut à Laleuf, parmi la tristesse de sa clouterie abandonnée et le désarroi de l'immense basse-cour que les voisins pillaient pendant son agonie.

Pour réjouir leur vieillesse, les parents Lasnier se virent saisir, dans un procès injuste, tous leurs biens, l'hôtel de l'Étoile, les jardins, les champs, et ils allèrent mourir dans une petite boutique, sur la place de la Chapelle.

(Et après tant de jours détruits, on ne peut s'empêcher d'évoquer toutes ces silhouettes falotes, parmi l'essor fleuri du marronnier naguère planté sur la place du marché, au printemps fraternel de 1848, par un curé républicain; en mai, il nous rend Noël, il apparaît comme un grand arbre chargé de bougies pour la fête de nos maisons. C'est la sortie de l'office du soir : les chants des crapauds y oubliés rappellent les humbles âmes d'alors, les propriétaires ruinés malgré leurs chènevières et leurs champs de navets; on se souvient encore d'eux, de leurs fantaisies, de leurs élégances, car ils apportaient aux yeux des villageois des étoffes de noms bizarres, des jeux de société inconnus. Et lorsqu'on évoque leur mémoire dans les vieux salons aux meubles couverts de housses, les gens de grand sens disent en hochant la tête et avec une sorte d'admiration effrayée :

– Ils ont tout mangé!

Dans le jardin de la butte, parmi les têtes

névralgiques des oignons couverts de guêpes, traîne encore le souvenir de cette époque, tourterelle et nénuphar. Envol des adagios mal joués par des mains enfantines sur le piano aux touches jaunies. Les physionomies pâles, encadrées de cheveux bruns, des feues dames paraissent entre les rideaux de mousseline, elles qui sont nées dans de vieux domaines de campagne au temps des partages de la Pologne, et qui sont décédées ce printemps où il y eut si peu de roses, cet automne si peu clément, ou bien dans l'hiver où Fourdachon le menuisier a eu sa pleurésie. La rue silencieuse est grave d'ennui et les œillets embaument le jardin plein de lilas et d'oraisons.

Et là, plus haut, à l'auberge, c'est tout un poème encore que le souvenir de ces plébéiens aux parentés bourgeoises, si gais aux jours de fêtes, si tristes aux enterrements, si allègres aux soirs de foire, lorsqu'ils entraient parmi le halo tremblotant des lampions bleus, chez Lasnier, à l'Étoile...)

*

Durant son séjour à l'auberge, Lalie fit la connaissance d'un homme de peine nommé Desseigne, avec qui elle se maria au temps de Pâques. Ils habitaient ensemble la vieille masure des tanneries jadis achetée par le père Montbrault à M. Armand Lasnier. Des puits de corroyeur, mal comblés, donnaient à cette pauvre maison une humidité de cave et faisaient pourrir le plancher. Dans un coin, réunis en manière de musée, il y avait une couronne de mariée, des pots en porcelaine multicolore et des gravures très mangées représentant Paul et Virginie ou Robinson Crusoé. C'étaient des paysages comme on en composait en 1810, avec les couleurs débordant les contours, des montagnes bleues et des arbres imaginaires toujours pleureurs. Auprès, on voyait accrochés des brevets d'escrime et de danse que le père Montbrault avait gagnés au régiment, où il était maître d'armes sous Napoléon. Et dans ce coin de chambre si pauvrement cosmopolite, le soleil voulait bien envoyer parfois, à travers les roses trémières du jardin, un peu de clarté douce et sommeillante.

Lalie, courageuse, gardait ses oueilles, aux heures libres de sa soirée, après les journées de travail en ville.

En 1870, il y eut une épidémie terrible. Les gens mouraient couverts de cloques. C'était la paupelle, comme on disait. Il fallut que Lalie soignât tout le quartier, et cela ajoutait encore à sa peine quotidienne. Elle eut cependant un jour de joie : ce fut quand elle alla, en voiture à l'âne, avec sa mère, voir sa sœur qui était servante chez un curé, du côté de Sancerre, à vingt lieues de la petite ville. Ce voyage lui fit voir une zone du monde.

Mais Desseigne buvait et une petite leur naquit, estropiée. La vieille mère Montbrault, retombée en enfance, fut à la charge de Lalie. Celle-ci était obligée de l'attacher à un piquet quand elle partait en journée, car la rivière était proche et un malheur toujours possible. Desseigne se louait pour les foins dans les domaines de la contrée. Un soir, il ne rentra pas. Lalie sortit avec un falot. La cheminée du moulin se dressait dans l'ombre. Le silence pesait sur l'île. Là, tout près, c'était le bazar de leur pauvre bicoque, avec les instruments rouillés, entassés dans la boulangerie, et les volailles transies juchées sur leur perchoir. Des hommes du moulin assurèrent que Desseigne était passé en titubant. On retira son cadavre de la rivière, avec une barre de fer.

★

Lalie, désemparée, se plaça chez Mme Vigier.

Elle n'avait pas oublié ses visites d'autrefois, chez feu Mme Vigier mère.

Quand elle eut ajouté à son expérience de l'Étoile le savoir inculqué par sa nouvelle patronne, elle devint une servante modèle. Elle connut l'identité bizarre, inexplicable aujourd'hui, de toutes ces vaisselles où l'on faisait les merveilles de la cuisine : les daubières en faïence brune, les longues poissonnières de cui-

155

vre jaune où l'on pouvait mettre un brochet pour quinze personnes, les terrines à pâté lentement et patiemment bonifiées auxquelles Monsieur vouait sa vénération; et puis les fours de campagne, les brûle-marrons rouillés par un long séjour dans les cabinets noirs, et les dame-jeanne transparentes où dormait la respectable eau-de-vie de 1804.

C'est alors que Lalie connut vraiment les bourgeois de village dans leur intimité. Elle les aima, parce qu'elle fut toute surprise de les voir si proches d'elle.

Sa renommée, peu à peu, s'étendit dans la petite ville. On venait consulter la mère Lalie sur des questions de sauces et de confitures, de cerneaux et d'eau de coings, de pâtisserie et de ragoûts. C'était elle qui avait fait le saint-honoré à la crème pour le mariage de Mlle Estelle Foucher, du temps qu'elle était encore servante à l'Étoile.

On venait même souvent la quérir dans des cas où elle ne pouvait rien. Un jour, on vint la chercher de chez Mme Phénat parce que le carrelage de la salle avait glissé dans la cave. On courut une autre fois la prendre pour secourir le père Rameau. C'était un matin et il faisait soleil.

La mère Rameau, criait :

– Oh! Lalie, venez vite. Mon vieux, il est bâillé!

Le pauvre homme avait avalé un os de

156

lapin qui l'étranglait et lui tenait la bouche grande ouverte. De ses mâchoires tordues sortait un gémissement inarticulé, tandis que des larmes coulaient sur ses joues. Là encore, indirectement, la mère Lalie apporta le salut. Elle alla chercher la sœur Ephrem, économe du couvent, qui servait d'apothicaire pour toute la petite ville. C'était une sorte de colosse aux joues rouges.

Elle vint et allongea deux fortes gifles au patient en disant :

– Je vais bien vous le débâilller!

Et de fait, les mâchoires immédiatement se fermèrent avec un juron du bonhomme.

Ce furent là de tout petits incidents qui vinrent à peine troubler sa vie, dont le cours était tranquille comme un grand fleuve ensablé.

★

Son patron, M. Vigier, le fils du notaire, ancien juge d'instruction, avait renoncé à une carrière brillante qui s'était offerte à lui dans sa jeunesse. Il avait préféré suivre le chemin modeste et ingrat des tribunaux de province afin de ne pas s'éloigner de la petite ville. Et même, il avait pris une retraite hâtive, pour pouvoir se consacrer aux terres de sa famille. C'étaient deux domaines situés sur la hauteur, un grand morceau de vigne au clos des Crys et des bois taillés dans la forêt du Châtelier. Il y avait surtout des prés dans la vallée, fameux par toute la région. Ces terres, qui étaient dans la famille depuis la trisaïeule, Mme Foucher, et la grand-tante Debize des Brignats, avaient coûté aux anciens de lourds sacrifices. Disputes aux héritages, brouilles par-devant notaire, ventes publiques et papiers timbrés. M. Vigier, comme son père, resta fidèle à ses domaines. Il vint se fixer dans la petite ville où étaient morts ses parents. Sa femme, aussi petite qu'il était grand lui-même, était soumise, ordonnée et un peu craintive : ses rhumatismes lui interdisaient les promenades et son unique sortie hebdomadaire était d'aller, en trottinant, payer son lait chez la mère Courroux à l'extrémité de la ville.

L'ancien juge n'était pas de ces propriétaires de province, ignorants et terre à terre, qui passent leurs après-midi à resserrer des futailles ou à mettre des loquets à leurs cages à lapins. Bien qu'il vécût en sabots ou en pantoufles et que son col, qu'il ne mettait pas, fût ordinairement étendu sur la cheminée de la salle pour le cas où des visites inattendues commanderaient une attitude plus cérémonieuse, il avait une certaine grandeur dans la conduite. Ses yeux très clairs imposaient silence par la froideur de leur regard, non seulement à Mme Vigier et aux domestiques, mais même aux autres messieurs du cercle, où il fréquentait peu. Au temps où

Lalie était entrée en condition, il passait déjà pour terrible; mais il s'aigrit encore en vieillissant.

Il restait habituellement dans sa chambre, avec son bonnet de coton sur la tête. Car il aimait avec passion l'histoire et la géographie. Sans cesse penché sur un atlas, cet homme qui n'avait jamais voyagé connaissait par cœur le relief des îles du Japon, le nom des hameaux du Turkestan et les moindres rochers de la Polynésie. Lorsque le soir, sur le point de partir pour rentrer à sa masure des tanneries, Lalie montait chauffer le lit de Monsieur avec la bassinoire de cuivre, elle le trouvait encore courbé sur quelque statistique, dont il encombrait la marge d'annotations au crayon bleu, tandis que la bougie déversait sur le papier des cascades de larmes blanches.

Mais son principal souci, c'étaient ses terres. Elles formaient la raison de sa vie, puisque celle-ci n'avait été qu'une longue privation à cause d'elles. Pour rien au monde il n'eût consenti à en vendre une parcelle. Il connaissait tous les détours de ses chemins et tous les coins de ses prairies. Mieux encore, il avait étudié leur sous-sol; marne ou silex, meulière ou glaise, il avait tout exploré et relevé. Son plus grand souci, c'était d'assurer l'intégrité de son bien aux endroits confus des bornages. Ses seules sorties étaient dirigées vers ses frontières jalousement surveillées. N'a-t-il pas laissé dans ses papiers cette note :

« Me méfier des bornages avec Puyferrand »
– et c'était son meilleur ami.

Scrupuleusement honnête, M. Vigier n'avait jamais convoité dans le bien d'autrui que ce qu'il était sûr de pouvoir acquérir un jour par des moyens légitimes. Et c'est peut-être à cause de cette sage modération qu'il tenait d'autant plus à « ses affaires », comme il disait.

Le tout était entretenu avec une perfection sans pareille. Lui, si regardant pour bien des dépenses, il avait sans cesse une équipe d'ouvriers occupés sur son territoire. Il fit mettre à chaque héritage une barrière en fer par Aumat le maréchal; d'une prairie à l'autre, il y eut des échaliers pour assurer la paix des clôtures. Toutes ses pêcheries furent cimentées et pourvues d'une pelle pour l'écoulement des eaux. Pas un fossé qui n'eût, à la traversée des chemins, un aqueduc de maçonnerie. Il reconstruisit les granges des deux domaines avec une magnificence qui étonna toute la petite ville. C'était un spectacle splendide, que d'y voir alignées les grandes vaches blanches avec leurs petits veaux attachés derrière elles. Et au milieu se trouvait une allée suivant toute la longueur du bâtiment, d'où le métayer pouvait contempler soixante têtes penchées sur l'auge.

La comptabilité était l'objet de ses soins les plus méticuleux. Quand il prêtait de l'argent à ses hommes de journée, il prenait par écrit le numéro des billets de banque. Les chiffres étaient couchés sur ses longs agendas avec une rigueur parfaite, et les dossiers de sa propriété, dont toutes les pièces avaient été recopiées de sa main, étaient conservés dans des chemises cartonnées avec une ferveur de notaire. Quand il était inoccupé, il développait des cartes d'état-major, et avec de l'encre rouge, il y traçait le contour de ses héritages.

Il attendait longtemps à l'avance les jours de foire, sacrés à ses yeux. Au soir de ces foires, les métayers venaient lui rendre leurs comptes. On entendait de la salle leurs gros sabots secoués sur le seuil et leur voix dans la cuisine. Lalie les amenait par le couloir, avec une petite lampe. Pironneau prenait une dernière prise et Lamizet se mouchait avant d'entrer. Il y avait alors, autour de la lampe à huile, une conversation à laquelle Mme Vigier n'assistait jamais. Le maître reconduisait son monde en passant par la cuisine.

La cuisine de la maison Vigier, cette pièce basse au badigeon jaune enfumé, avec toutes ses choses, le potager à carreaux, le plot, la bassie, la haute cheminée, était un lieu où de père en fils, dans la famille, on avait toujours aimé à séjourner.

C'était par les après-midi désœuvrés, quand les giboulées commençaient à tomber et que dans le long corridor du premier étage régnait un jour verdâtre. Monsieur descendait alors et traînait ses pantoufles fourrées dont l'agrafe n'était jamais mise. Il circulait ainsi lentement autour de la table en roulant des cigarettes. Il disait de temps à autre un mot à la femme de journée sur un ton de réprimande. Puis, vers quatre heures, il remontait étudier la chronologie des empereurs de Byzance ou les climats du Portugal.

A ne sortir jamais ou presque, M. Vigier accrut encore ses manies. Il se mit à faire des provisions, acheta des décamètres d'amadou et des caisses de biscuits. Madame soupirait et Lalie s'effrayait, pensant que Monsieur devenait berdin.

Sa vue baissa et même avec une loupe il ne pouvait plus lire sur les atlas sans se fatiguer les yeux. Alors il reprit son violon d'autrefois et rejoua des morceaux appris dans sa jeunesse, lorsqu'il étudiait le droit à Paris. Cela faisait une romance très faible, dont l'écho voltigeait à travers les couloirs de la grande maison comme un pauvre oiseau prisonnier. La crainte envahissait Lalie lorsqu'elle entendait cette musique pâle comme le regard de son maître.

Il faut se représenter la mère Lalie à cette époque, boulotte, déjà ridée et devenue craintive, mais alerte encore. Elle était alors le majordome de la grande maison puisqu'elle en connaissait tout l'austère règlement. Elle faisait une fois par mois le ménage de chaque pièce inhabitée, caressant respectueusement de son plumeau les grosses potiches et ne soulevant jamais sans trembler le globe de verre des pendules.

Qui dira la peur qui la prenait lorsqu'elle montait quérir un pot de confitures dans la chambre haute au ciel de lit à fleurs bleues, et l'étonnement avec lequel elle nettoyait, en septembre et pour Pâques, tous ces livres insipides qui n'ont sans doute jamais été lus : les *Harmonies de la Nature, Anacharsis,* et *Grandisson; Gonzalve, Numa Pompilius, Estelle* et toutes les œuvres de Florian; toutes les *Révolutions* de l'abbé de Vertot, l'*Histoire Romaine* de Rollin, le *Voyage de Lapérouse* et les *Veillées des Chaumières,* à côté des grands codes à tranches rouges du temps de Louis XV.

Et ne sachant pas lire, elle regardait avec admiration ces choses sans autre intérêt pour elle que leur âge et leur longue compagnie avec cette bonne famille de monde où elle servait.

★

Elle se fit peu à peu à tout ce petit monde inanimé qu'est la maison des bourgeois de village, à la cour grise, sous la glycine plantée par l'aïeule Foucher, parmi les roucoulements descendant du haut des toits, et tout le poème des vies présentes, aux grandes chambres où il y a des fleurs coloriées par la grand-mère à seize ans, une pendule représentant Paul et Virginie, et des motifs comme on en composait autrefois avec les cheveux des petites défuntes. Elle connut l'immensité névralgique des greniers où l'on monte essoufflé en plein midi, où l'on a peur d'être seul parmi les pieds jaunis de haricots suspendus aux poutrelles et le craquement de la charpente. Elle connut surtout le mystère du salon, avec ses fauteuils couverts de housses, son immense coffre à bois et le piano rarement sonore, dont les accents, elle le savait, étaient aigrelets et tristes.

Et des quarante années qu'elle passa ainsi, elle n'a retenu aucun événement saisissant. C'était seulement la perpétuelle réponse du sol, plus ou moins généreux, mais toujours fidèle. Chaque année, la cave voûtée s'emplissait de pommes de terre et le grenier de haricots. Chaque année, des bocaux de conserves et des pots de confiture dont le couvercle portait la date écrite avec soin, s'alignaient dans les placards. La demeure des Vigier était comme un être aux mouvements prévus : personne ne pouvait imaginer que ce mécanisme régulier, depuis si longtemps lancé, dût un jour s'arrêter. Les tonneaux de vin blanc et de vin rouge, bien cerclés, dormaient dans les sous-sols. Grâce à ses économies, M. Vigier était parvenu à acquérir toutes les maisons qui joutaient la sienne. Il eut bientôt comme une couronne de bâtiments entourant une cour au centre de la petite ville. Dans cet immense logis, on réservait une salle à chacun des produits du domaine : il y avait la chambre aux fruits, la chambre à l'avoine, la chambre au charbon et la chambre aux balais coupés sur les pâtureaux.

★

Jusqu'au dernier moment, M. Vigier voulut planter. Il soignait avec tendresse une grande pivoine écarlate qui venait de ses parents. Il lui fallut un magnolia dans sa cour; mais le sol était sec et rocailleux, et trois fois par jour, Lalie devait l'arroser avec le coquemard de la buanderie. Enfin l'arbrisseau eut une fleur, pareille à une blanche colombe parmi les feuilles vernissées. M. Vigier travaillait lui-même ses poiriers et accolait ses espaliers. Il passait des journées sous un chapeau de paille, à manier le sécateur dans les allées de son verger. Il fit, au cours de ses dernières années, creuser deux vastes pièces d'eau sur chacun de ses domaines et les borda d'une double rangée de peupliers.

Jusqu'au dernier moment aussi, il voulut acheter. Il recueillit peu à peu toutes les terres de la famille Foucher. Ses parents, l'abbé Foucher et Mme Phénat, les Consol et les Blondel, ayant tous plus ou moins besoin d'argent, se laissèrent faire par le bonhomme.

La tactique de ces marchés était fort curieuse. L'abbé feignait d'oublier toute parenté et donnait sa procuration à des hommes

165

de loi qui, pensait-il, se montreraient plus inflexibles. Mme Phénat, sentimentale et empruntée, écrivait des lettres impossibles :

Je serais heureuse, monsieur, de voir passer mon pré entre vos mains, vous qui êtes de ma famille, plutôt qu'entre celles d'étrangers. Combien je regrette que le courant de la vie m'ait toujours éloignée de mon pays et que les circonstances m'aient forcée de vendre mes propriétés! Comme vous, monsieur, j'avais le culte du berceau de mes aïeux et mon pauvre oncle Louis vous dira combien j'ai toujours souffert. Vous savez, monsieur, combien je suis restée orpheline jeune. Le malheur a toujours été le lot de la famille Blondel : aucun n'a été épargné.

Et en post-scriptum, elle ajoutait :
P.-S. – M. Phénat dit que cet héritage vaut bien de quinze à dix-huit mille et qu'il ne faudrait pas s'en défaire à moins.

Mais la diplomatie de M. Vigier triomphait de tous les sentiments comme de toutes les cupidités. Ceux mêmes qui lui avaient longtemps résisté devaient enfin se rendre, et par un télégramme, abandonner l'héritage. Étrange fatalité qui opérait la reconstitution de la propriété des anciens parents Foucher. Tout ce que les Lasnier avaient autrefois possédé dans l'île, les prés des Phénat et des Moret, la maison

Bidron et celle de l'abbé Foucher, furent ainsi réintégrés à son fief. M. Vigier avait alors quatre-vingts ans. C'est à ce moment-là qu'il eût fallu le voir dans le décor de sa maison. Sûr de lui, parce que son argent était habilement placé, il était revêtu d'une noblesse particulière. Il ne sortait plus du tout. Il ne voyait pas grand monde. Seul, M. de Puyferrand, hobereau de campagne, lui rendait visite parfois. Il apportait souvent, à l'époque des chasses, les chevreuils ou les sangliers qu'il avait tués. On déjeunait dans la salle pavée de mosaïque où l'écho était assourdissant. La voix vigoureuse de l'hôte, les têtes de cerfs empaillées qui ornaient les panneaux et le dessus des dressoirs, tout chantait les hallalis sonores sur la lisière des bois désolés. Puyferrand, la barbe blanche éclatant sur ses joues cramoisies, mangeait lentement et posément avec un énorme appétit. Il écrasait la tête des bécassines et en étendait la cervelle sur son pain. Il y avait sur la table un régiment de plats. M. Vigier découpait lui-même les volailles. Rien n'était grand comme la fierté de cet habitant de campagne, quand il faisait ainsi valoir les plus délicieux produits de ses terres. Lorsqu'on le voyait verser avec respect l'eau-de-vie ou le dernier vin rose chasselas des Crys, on eût cru voir la plus pure image de la France terrienne et laborieuse : le geste de ce paysan qui caressait longuement ses génisses en disant :

– C'est sans malice, sans méchanceté! ça petit! – et qui chantait en menant ses bœufs au labour.

Ayant ainsi réuni toutes les terres des anciens et réparé au prix de ses peines plus d'un désastre, c'est sans tristesse profonde que M. Vigier assista à la ruine de ses cousins de la petite ville. Les Phénat, les Foucher, les Moret, les Blondel, les Lasnier ne s'étaient pas cramponnés au sol. Ils n'avaient pas consenti aux sacrifices qu'il exige; ils avaient voulu vivre de leurs revenus, sans payer à la terre le lourd tribut qu'elle impose à ses hommes de souci comme à ses hommes de peine.

*

Ce fut une désolation.

Mme Phénat est décédée dans la maison de son aïeul, l'officier de santé, sa fille, Mlle Zénaïde, déjà vieille et sauvage à la mort de sa mère, était surnommée la colombe effarouchée. Elle gagne sa vie comme dame de compagnie et est la dernière survivante des Blondel.

Mlle Antonine Consol resta, sa vie durant, la plus distinguée de la famille Blondel. Mais elle était dans la misère et avait, neurasthénique, le délire de la persécution. Elle demeurait enfermée des journées entières, pour peindre à l'huile, non sans un talent bizarre, de belles physionomies disparues. Elle se promenait la nuit, comme une chavoche, avec une meunière des environs qu'elle avait connue, étant jeune, aux Ursulines. Après sa mort, on vendit tout son cher mobilier. Il y eut donc un jour où le cerisier double du père Consol laissa tomber ses fleurs blanches, comme des larmes, sur les matelas éventrés de la défunte, sur ses œuvres moisies, sur les chenets rouillés de la cuisine périodiquement inondée, tout le bazar de la maison fermée.

Dans le jardin Consol, il n'y a plus de fraises ni de lilas, et le kiosque est en ruines. La décrépitude des Blondel n'eut d'égale que celle des Foucher et des Moret.

Narcisse Moret, vétérinaire à Paris, se retira dans la maison de son père, en face de l'abbaye. Il était sale, d'allure grossière, et vivait seul, après s'être brouillé avec toute sa famille. Il se mit à cultiver les arbres fruitiers dans le jardin de la rivière. Il obtint des fruits géants, des raisins, dont les grains avaient des dimensions d'œufs de pigeon, des poires et des melons succulents, des rhubarbes plantureuses. Le tout était expédié à Paris dans la ouate et les frisons.

Il se ruina à ce trafic. Ses derniers temps furent sordides. Il se nourrissait de beignets moisis qu'il faisait lui-même, une fois par semaine, et Mme Vigier envoyait Lalie nettoyer ses ordures. Son agonie se prolongea longtemps. Il se lamentait et appelait sa mère.

TERROIR

La dernière survivante des Foucher, Mlle Virginie, habitait la plus petite rue de la ville, auprès du menuisier Fondard. Elle était revêche et rude. Dans la débâcle de sa famille, elle avait tout de même consenti à recueillir des nièces qu'elle traitait durement. Un de ses neveux, militaire criblé de dettes, vint un jour la trouver chez elle pour implorer son secours. Il frappa au volet.

– Qui est là!

– Moi, tante!

La porte se ferma à triple tour. Las de cette résistance, le jeune homme se brûla la cervelle et s'écroula sur le perron.

Cela ne porta pas bonheur à Mlle Virginie. Elle mourut peu après d'un chaud et froid.

La petite ville est devenue ainsi une humble nécropole.

★

Pendant ce temps, rien n'inquiéta la forteresse invincible des Vigier, où régnaient le bon sens et l'ordre sage. Une paix immense pesait sur le jardin en pente, planté d'aucubas et de fusains, sur la cour triste auréolée de la glycine et de la vaporeuse bignone.

Seulement, il y avait des heures d'activité fiévreuse et débordante. C'était aux matins de vendanges et d'entonnailles, quand les hommes venaient à l'aube chercher les poinçons cerclés d'osier nouveau par le père Desmoulins, et que Lalie montait avec eux sur les Crys, au pas allègre de la jument Bichette. On saluait la culottière qui vendangeait dans la soirée, et quand on rentrait, il y avait des femmes à l'étendoir qui disaient :

— Ç'a donc pas grêlé chez vous?

C'étaient aussi les dimanches de mai où l'on allait au muguet avec les gens du domaine, en faisant attention de ne pas se rêber aux carrefours, tandis que Monsieur se reposait dans sa chambre et que Madame s'était installée dans le salon, près du coffre à bois, comme tous les dimanches, pour voir la sortie des vêpres.

Il y avait encore la pesante tristesse des journées où Monsieur était de mauvaise humeur et ne voulait pas descendre. On lui montait une omelette au rhum, un lait de poule. On ne savait comment le contenter. Il s'emportait à cause du froid et faisait faire des feux dans toute la maison.

Il devint plus irascible que jamais, avec des idées bizarres et déconcertantes. Il aurait voulu réunir tous les bâtiments de sa cour par un corridor interminable. Et Madame s'épouvantait à l'idée de la dépense et du qu'en-dira-t-on dans la petite ville.

— Lalie, ma fille, disait-elle, verrons-nous cela?

Un jour qu'il y avait eu un accident au

domaine, personne n'osa aller prévenir Monsieur. Mais on entendait par toute la maison des allées et venues inquiètes et les gens qui parlaient dans la cuisine. De sa chambre, Monsieur s'émut. Il appela la mère Lalie et braquant sur elle son plus terrible regard :

— Qu'est-ce qu'il y a?

— Rien, monsieur! dit la vieille épouvantée.

— Je vas descendre, si tu ne me dis pas ce que c'est.

— C'est, monsieur... Dame, c'est ren, ou ben en tout cas, j'y sais pas!

— Pourquoi tous ces gens?

— C'est la foire, monsieur, la foire à Cérilly.

— Donne moi mon almanach!

M. Vigier contrôla : il n'y avait pas de foire. La scène fut terrible.

C'est ainsi que M. Vigier payait lui aussi son tribut aux hérédités fantasques des Foucher.

Il y avait aussi les belles aventures; un pasteur protestant vint enterrer la directrice des Postes, au grand scandale de la petite ville. Dans les premiers temps des autos, on tendit des ficelles la nuit pour arrêter les maudites voitures sans chevaux et les examiner.

Il y avait enfin les heures de détente, lorsque, après toute la journée pénible et peureuse, on pouvait se chauffer dans la cuisine, sous la suspension à l'huile. Lalie regardait les hommes de journée jouer à « noir ou rouge » avec les cartes graisseuses de la cuisinière. Monsieur se chauffait les côtes à la cheminée, où la rôtissoire avait cessé son refrain saccadé et triste. La fille estropiée de Lalie l'attendait dans un coin, recroquevillée sur la chaise basse.

Et c'était bien la même tranquillité que celle de ces locatures paysannes joyeusement assoupies en plein soleil de midi, parmi les reines-marguerites et le cri des coqs, à l'abri du vent : la paix dans le sacrifice et la limitation. Quoi de plus restreint en effet que les paysages de la maison Vigier, les corridors avec le papier de tenture représentant des chrysanthèmes, le long couloir, où du temps de M. Vigier le père, dansait un refrain de serinette, les cagibis pleins de meubles détériorés. De la lucarne du grenier, on voyait le jardin Phénat, la butte avec le kiosque et les grands dahlias en leur saison. Pas de contact avec l'humanité, si ce n'est que, de la chambre de Madame, on entendait, les vendredis jours de marché, les voisines et les revendeuses jacasser sur la place. C'était, cet enclos de murailles, comme l'isolement d'une âme. M. Vigier avait concentré toutes ses forces pour réparer les fautes passées et refusé, pour accomplir cette œuvre qui le dépassait, les charmes d'une vie facile.

Une tante à lui, veuve d'un médecin de

l'empereur Napoléon III, lui avait légué une petite propriété, une maison gaie dans une vendée de têteaux bleus. Mais cette propriété se trouvait à l'autre bout du département; alors, il l'avait cédée, pour demeurer dans sa grande maison sans lumière et sans joie, au centre de ses possessions. Cet héroïsme faisait penser à l'aventure d'autrefois, quand des cousins lointains, nés au village, puis émigrés tout jeunes à Paris, étaient revenus, dans la féerie de leurs souvenirs, se réinstaller au pays de l'enfance. Dès qu'ils eurent revu les murs gris, les salons ennuyés, les puits remplis de scolopendres, ils repartirent sans crier gare, avec les voitures de leur mobilier parisien.

*

Mme Vigier s'est éteinte dans sa grande chambre dont la fenêtre est au midi et qui donne sur la place du couvent. Son mari ne lui a guère survécu. Ils dorment dans le cimetière de la petite ville.

La mère Lalie s'est retirée dans sa masure du bord de l'eau, près du vieux courtil de passeroses et de pavots, là où elle est rentrée fidèlement chaque matin depuis son lointain retour du Bourbonnais, de ce domaine à l'orée du bois où elle allait cueillir de la biauge pour les verriers de Commentry.

III

Il n'y a pas d'épilogue au lent récit des simples, qui est comme le doux murmure des saisons au long des routes montantes et le chagrin des funéraires désillusions. C'est comme un nouvel éveil de cette grande maison, pays d'exil où nous rêvions au son des rôtissoires enrouées, parmi les odeurs de glycines, les massifs de pivoines et les envols de tourterelles.

Les joies d'alors, c'était la lumière des bougies roses de Noël, la cueillette des bonnets-carrés dans les chemins de terre rouge, le démariage des betteraves en compagnie de quelque vieillard silencieux ou les complaintes monotones de la servante ancienne :

> – *Compère, qu'as-tu vu?*
> – *J'ai vu une anguille*
> *Qui coiffait sa fille*
> *Sur le bord d'un fossé...*
> – *Compère, vous mentez.*
> – *Commère, c'est bien vrai!*
> *J'ai vu une grenouille*

175

TERROIR

Filant sa quenouille
Sur le bord d'un fossé...
– Compère, vous mentez.
– Commère, c'est bien vrai...

Les peurs d'alors, c'était l'histoire de la mère Biquette, la brusque nouveauté d'un soir de neige ou un tremblement de terre. Les chagrins d'alors, c'était le souvenir des chiens évadés, des petits chats qu'il fallait noyer; c'était une réprimande pour une leçon mal sue, c'était la mort de la grande chatte blanche tant aimée...

La vie d'alors, c'était déjà l'immense solitude de la chambre à grande alcôve, d'où l'on entendait le bruit des conversations dans la salle à manger, par les soirs de fêtes trop longues où les enfants n'étaient pas conviés. Solitude qui ne s'est pas peuplée depuis. (Serrement du cœur, si souvent éprouvé par la suite, sur le quai de la gare où l'on reste seul, après que le dernier wagon a disparu au tournant.)

Vies, chemins de halage, avec le pas régulier des mulets au bord du canal. Après la petite maison charmante de l'écluse prochaine, il y en aura une autre encore, et jamais ce ne sera la nôtre!

Ce serait comme si nous revenions en plein hiver dans la propriété de campagne abandonnée : la glace a pris l'étang, le chenil s'est effondré, les géraniums sont morts et tous les essaims ont émigré de l'enclos. Et il n'y a personne pour accueillir, dans la cour où le gravier a été relevé en petits tas, personne que nous apercevions à travers la grille aux colonnettes écroulées. C'est le désarroi de nos mémoires quand nous pensons à ceux qui dorment.

Au bord de l'eau, sur le chemin qui mène aux forges détruites, la vieille qui les a servis est paisible comme son passé; soirées étranges sur la platitude de nos chaumes, où l'on entend venir des domaines lointains le murmure des ventées sous les grangères et le bruit plus monotone des fléaux. C'est la patience des contrées désolées, la longue attente des âmes seules, et tout l'ennui de l'existence.

Avec les bourgeois de village, morte aussi est leur maison. Les refrains de Donizetti et d'Auber ne réveillent plus les portraits rescapés des encans et des partages, tous avec les yeux clairs, le teint pâle, les cheveux noirs et la longue tête des Foucher.

Mais voici qu'au tournant de nos chagrins apparaît une espérance inattendue. C'est leur souvenir, brûlant comme la vieille eau-de-vie des Crys ou le marc que l'on faisait chez eux les bonnes années, et leur exemple, plus vigoureux que les chênes de l'allée qui montait au domaine.

Leur souvenir n'a pas quitté la petite ville, et dans les soirs tombants, on entend murmurer leurs noms à travers les rues silencieuses.

– Se souvenez-vous de M. Achille? Le brave homme que c'était et qui est mort à Saint-Pierre au temps des cœurs... C'était du bon monde!

Leur exemple, il demeure entre les quatre bouchures de leurs héritages, le long des sillons pierreux où ils ont tant de fois brisé leur soc, et dans le cimetière encombré de liserons où ils dorment dans leurs cercueils de bois blanc. La vie qu'ils nous indiquent est intime comme ces chambres de province où l'on est de passage chez des amis; et où il y a un sucrier avec une carafe sur un plateau.

Combien de fois avons-nous été trompés? C'était dans nos salons bleus, le rappel des anciens parents de contrées lointaines, maîtres de forges ou menuisiers, maîtres de postes ou marteleurs, habitants de campagne ou voituriers, et les noms défraîchis de ces époques démodées : Casimir, Gatien, Éléonore, Reine-Virginie, Procule, Hortense, Valentine et Théodule. Temps où l'on jouait à la bouillotte sur des tables au tapis vert dévoré de mites.

Alors, tout cela nous paraissait illimité, et, pour nous décevoir, il a suffi de vendre la maison et de disperser les choses.

Où n'avons-nous pas eu ce mirage de l'infini?

C'était dans les campagnes pluvieuses aux domaines lointains après lesquels nous espérions des régions inconnues, des Bolivies et des

CENDRES

Pérous tranquilles où il y aurait une maison de paille, un clocher en ruines, un néflier chargé d'années et des colchiques dans la prairie, avec les sapins d'un parc de l'autre côté d'un mur en pierre. L'âme d'autrui nous semblait un labyrinthe aux perpétuelles nouveautés, et toujours, nous nous sommes heurtés à une muraille de prison. Qui peut dire nos rencontres et leurs enivrements, nos séparations et leurs morsures?

Et nous nous laissons glisser au cours des fugitives illusions. Que de fois, entendant des bruits vagues par les chemins d'alentours, sommes-nous sortis sur le pas de la porte, en quête d'un retour inespéré, comme ces fermières curieuses du pays des aubépines, que les rumeurs de la contrée font apparaître à leur barriot.

Au loin, dans la nuit triste où les rafales n'ont pas cessé de gémir, peut-être se hâtent-ils de revenir vers nous, juchés sous la capote branlante de leur vieille victoria. Peut-être allons-nous voir, par le carreau couvert de buée, leur visage pâle et leurs yeux bleus, tandis qu'ils feront signe pour qu'on leur ouvre...

TABLE DES MATIÈRES

PREMIÈRE PARTIE

DEUXIÈME PARTIE

TROISIÈME PARTIE

Cet ouvrage a été réalisé sur
Système Cameron
par la SOCIÉTÉ NOUVELLE FIRMIN-DIDOT
Mesnil-sur-l'Estrée
pour le compte des Éditions Lattès
le 16 avril 1984

Dépôt légal : avril 1984
N° d'édition : 84021 – N° d'impression : 0697

Imprimé en France